P. Brogini
A. Filippone
A. Muzzi

Raccontare il Novecento

Percorsi didattici nella letteratura italiana attraverso i racconti di Dino Buzzati, Italo Calvino, Natalia Ginzburg, Alberto Moravia

B2-C2
QUADRO EUROPEO
DI RIFERIMENTO

www.edilingua.it

Patrizia Brogini è specialista in didattica dell'italiano come lingua straniera e collaboratore ed esperto linguistico presso l'Università per Stranieri di Siena dal 1993. È autrice di articoli di linguistica e glottodidattica su riviste specializzate.

Antonella Filippone è collaboratore ed esperto linguistico presso l'Università per Stranieri di Siena dal 1992. È specialista in didattica dell'italiano come lingua straniera e ha pubblicato articoli di linguistica e glottodidattica su riviste specializzate.

Alessandra Muzzi è specialista in didattica dell'italiano a stranieri e direttore didattico del Comitato Dante Alighieri di Siena dove è anche docente di corsi di lingua e cultura. È responsabile della Certificazione PLIDA e autrice di testi di glottodidattica.

Redazione: Antonio Bidetti, Maria Grazia Galluzzo

© edizioni Edilingua 2005
Via Paolo Emilio, 28 00192 Roma

Via Moroianni, 65 12133 Atene

Tel.: +30-210-57.33.900
Fax: +30-210-57.58.903

www.edilingua.it
info@edilingua.it

ISBN: 960-6632-23-7

INTRODUZIONE

La questione dell'uso di testi letterari nell'insegnamento delle lingue straniere ha creato e continua a creare alcune perplessità, per il fatto che gli obiettivi dell'insegnamento linguistico e quelli dell'insegnamento letterario non sempre si identificano. Da molto tempo la didattica pragmatica non nasconde la convinzione che, sul cammino verso la competenza comunicativa, l'uso del testo letterario sia una digressione piuttosto inutile e contraria al conseguimento di quella stessa competenza. Talvolta si verifica una specie di "shock letterario" per gli studenti nel momento in cui la regolare progressione delle lezioni viene interrotta dal primo impatto col testo letterario. Questo, presentando un linguaggio con una notevole ricchezza espressiva, può portare facilmente ad un'improvvisa caduta motivazionale, non solo rispetto al linguaggio letterario, ma addirittura nei confronti della lingua *tout court*. Inoltre, l'insegnante tende ad usare testi di letteratura contemporanea, che in qualche modo, volendo rappresentare un mondo reale e complesso, lo fanno in maniera articolata allontanandosi da quelle regole e autolimitazioni stilistico-liguistiche che garantiscono una certa trasparenza e prevedibilità. In questa situazione meno rigidamente vincolata, lo studente si trova di fronte a testi più sregolati e di conseguenza più complessi. Bisogna però tenere presente la necessità di non temere il confronto con la complessità linguistica, abituando l'apprendente a passaggi sempre più graduali, via via più articolati e ricchi di spunti di riflessione metalinguistica (per esempio, lo studio delle varietà della lingua).

Per questo motivo oggi ha senso proporre lo studio di testi letterari a studenti stranieri, in quanto la loro complessità è una delle testimonianze della ricchezza e della vitalità della lingua. Sono quindi utili proprio per il loro non essere "normali", per il loro rifuggire o scartare spesso dallo standard linguistico e/o dalle norme della codificazione letteraria, per l'essere cioè esattamente l'opposto di quello che sono stati costretti ad essere dalla didattica tradizionale, ma allo stesso tempo sono anche utili perché il linguaggio poetico fornisce stimoli che sviluppano creatività, rivelando le potenzialità della lingua stessa.

I testi letterari si distinguono quindi da quelli appartenenti ad altre tipologie per il prevalere della funzione poetica (secondo la definizione di Jakobson) e per l'uso originale della lingua in grado sia di creare, che di "rileggere" le procedure retoriche presenti anche nel linguaggio comune.

Inoltre è anche vero che tra testi letterari e testi d'uso ci possono essere "contaminazioni" e sovrapposizioni rappresentate da parti descrittive, informative, argomentative comuni ad entrambi, di cui non sempre si tiene conto.

Proprio perché il testo letterario istituisce una comunicazione sui generis, lo studente deve essere guidato a cogliere tale tipo di comunicazione in cui prevale la funzione poetica, cioè quella del messaggio orientato verso se stesso in modo autoriflessivo. La "letterarietà", ciò che rende "letterario" un testo, consiste proprio nel predominio di tale funzione, nello sfruttare cioè le possibilità offerte dall'asse della selezione e da quello della combinazione. Il gioco linguistico che ne deriva fa sì che il messaggio letterario, come tutti i prodotti artistici, sia fondamentalmente ambiguo e polisemico, suscettibile sempre di nuove interpretazioni e capace di supportarle tutte senza difficoltà, date, appunto, la sua ambiguità e la sua possibilità di essere decodificato secondo gradi diversi di approfondimento.

Il docente di italiano L2/LS dovrà quindi condurre lo studente alla scoperta di quella funzione poetica che caratterizza ogni testo letterario, distinguendolo così dalle altre tipologie: il gioco linguistico sugli assi sintagmatico e paradigmatico deve essere il centro di osservazione, analisi e riflessione da parte dello studente, per capire quando e perché esiste lo scarto dalla norma.

Le deviazioni sull'asse sintagmatico (per esempio le focalizzazioni che cambiano l'ordine basico dei costituenti) e quelle sull'asse paradigmatico (per esempio le valenze polisemiche o l'uso di traslati) possono essere valutate in modo differente rispetto a quello che avviene di solito nella lingua comune, in cui gli stessi fenomeni possiedono un ruolo spesso univoco e generico, perché non usato a fini stilistici.

Questo lavoro è rivolto a studenti di italiano L2/LS che si possono riconoscere nel profilo linguistico intermedio-avanzato (B2, C1, C2 del Framework Europeo) poiché la loro competenza è tale da permettere il confronto con le particolari caratteristiche linguistico-culturali di un testo letterario che propone una comunicazione peculiare.

Le finalità di questa opera sono sostanzialmente quelle di fornire allo studente un serbatoio testuale da cui partire per nuovi viaggi letterari alla scoperta della lingua, sia di questi autori che eventualmente di altri scrittori italiani.

La scelta di questi autori (Buzzati, Calvino, Ginzburg, Moravia) è dovuta alla loro importante presenza nel panorama letterario italiano come rilevante punto di riferimento nella produzione culturale contemporanea. La formula del racconto è molto indicata per lo studio e l'analisi linguistica, in quanto la brevità e la compattezza tematica si rivelano caratteristiche ideali in molte fasi dell'apprendimento.

Abbiamo selezionato quattro racconti per ogni autore, cercando di scegliere quelli più accattivanti (da un punto di vista linguistico e culturale) e in qualche modo rappresentativi anche del loro stile.

Le unità di apprendimento sono state strutturate in maniera omogenea presentando all'inizio il racconto adattato seguito da un glossario che semplifichi la comprensione dei termini e delle espressioni più complesse, quindi delle attività di comprensione generale del testo accompagnate da riflessioni narratologiche. La sezione di riflessione linguistica occupa una parte rilevante perché lo studente deve misurarsi il più possibile con la complessità linguistica del testo. L'ultima sezione è dedicata ad attività produttive, sia scritte che orali, che vedono lo studente lavorare, singolarmente o in gruppo, per sviluppare la tematica peculiare di ogni racconto.

Si consiglia per una linearità didattica, di seguire l'ordine di presentazione delle attività nelle sezioni dedicate alla comprensione del testo e alla riflessione narratologica, affinché lo studente possa passare da una fase globale di approccio al testo ad una analitica concentrata sullo studio della lingua, in cui il docente avrà la libertà di gestire la scelta e l'ordine degli esercizi in funzione degli utenti. Nell'ultima sezione si favorirà il tipo di produzione scritta e orale più consona alle esigenze degli studenti.

Questo fascicolo vuole essere un supporto per l'insegnante poiché fornisce riflessioni stilistico-linguistiche di ogni racconto. I fenomeni linguistici presenti nel testo ed evidenziati in neretto all'interno delle note trovano un'ulteriore spiegazione in un apparato posto in appendice. Il presente testo è corredato inoltre delle chiavi degli esercizi.

Le Autrici

ALBERTO MORAVIA

PRIMO RAPPORTO SULLA TERRA DELL'INVIATO "SPECIALE" DELLA LUNA

da *Racconti surrealisti e satirici*

NOTE

Riga 1 *Strano paese*: il racconto inizia con una frase in cui manca il verbo "essere". Questo tipo di scelta stilistica ha una particolare funzione espressiva: serve a rendere efficace e immediata la descrizione seguente (**frase nominale**).

Riga 4 *dunque*: **segnale discorsivo** che indica l'articolazione interna del testo. Questa congiunzione ha qui una funzione sia pragmatica, tipica del parlato (si trova infatti all'inizio dell'enunciato per fornire coesione alle varie porzioni di testo), sia testuale (congiunzione conclusiva), perché conclude un ragionamento iniziato nell'enunciato precedente; l'inviato riassume le informazioni che ha ottenuto dai ricchi e le presenta "quindi" (*dunque*) ai lettori. In questa frase, inoltre, si ha una **inversione** del soggetto "i ricchi" posposto al verbo (l'ordine non marcato sarebbe: *i ricchi dicono dunque che ...*).

Riga 4 *i poveri sono una gente*: l'accordo fra il soggetto plurale (*i poveri*) e il predicato nominale (*gente*) non rispetta le regole di concordanza grammaticale, anche se *gente* è un sostantivo collettivo (**concordanza a senso**). La frase potrebbe essere: *i poveri sono persone venute da*

Righe 8-9 *le loro case squallide, le loro masserizie logore e brutte*: il verbo "essere" è sottinteso

Riga 10 *essi*: loro. Oggi nella lingua parlata e scritta meno formale si usa la forma "loro" che ha sostituito quasi completamente *essi*.

Righe 10-11 *gli stracci ai panni nuovi, le case popolari alle ville e ai palazzi, i mobili di poco prezzo a quelli di marca*: in queste frasi abbiamo parallelamente coppie antitetiche rette dallo stesso predicato verbale sottinteso (*sembrano preferire*) (**parallelismo**).

Righe 12-13 *Chi infatti ... di lusso?*: questa frase interrogativa serve per confermare in realtà ciò che si domanda: la domanda contiene infatti la risposta implicitamente (*nessuno ha mai visto un povero ben vestito ...*). Questo procedimento serve a dare maggiore rilievo all'affermazione (**interrogativa retorica**).

Righe 18-19 *mitigare il freddo col caldo e il caldo col freddo*: disposizione incrociata dei costituenti della frase (**chiasmo**).

Righe 20-21 *Ora, domandano i ricchi, come si fa a non amare la natura?*: una seconda frase interrogativa che serve per confermare in realtà ciò che si domanda (**interrogativa retorica**). La risposta implicita sarebbe: *è ovvio amare la natura*.

Righe 22-23 *Non parliamo della cucina dei poveri. Non esistono per loro i deliziosi manicaretti, i vini vecchi, i dolci squisiti*: l'inviato annuncia di non voler parlare della cucina dei poveri, ma in realtà ne sta parlando, accentuando così l'importanza di tale argomento (**preterizione**). I manicaretti sono piatti particolarmente saporiti e appetitosi.

Riga 28 *insomma*: **segnale discorsivo** di valore semantico che porta alla conclusione del concetto espresso.

Riga 30 *la salute non gli preme*: la salute non gli interessa, non gli sta a cuore.

Righe 30-32 *Che altro ... nel curarsi?*: un'altra **interrogativa retorica**. La risposta implicita, anticipata in precedenza, sarebbe: *la salute non preme ai poveri perché si espongono alle intemperie e sono negligenti nel curarsi.*

Riga 37 *tant'è*: così è. Locuzione che ha un valore enfatico e conclusivo: esprime l'inevitabilità di una conseguenza.

Righe 45-46 *non hanno sortito alcun risultato*: non hanno avuto, non hanno ottenuto nessun risultato. Il verbo *sortire* è spesso accompagnato dalla parola "risultato" o "effetto".

CHIAVI

Attività di comprensione

1.

POVERI	RICCHI
Caratteristiche fisiche: "...I poveri non amano la pulizia e la bellezza. I loro vestiti sono sudici e rattoppati. [...] Ma per una strana perversione del gusto essi sembrano preferire gli stracci ai panni nuovi [...]".	*Caratteristiche fisiche:* Non sono indicate precisamente, ma si deducono essere all'opposto di quelle dei ricchi.
Caratteristiche psicologiche: "[...] sempre mantenendo inalterato il suo spiacevole carattere. Nessuno, conosciuto questo carattere, potrebbe non deplorarlo e dar torto ai ricchi".	*Caratteristiche psicologiche:* Non sono indicate precisamente, ma si deducono essere all'opposto di quelle dei ricchi.
Ambienti in cui vivono: "...le loro case squallide, le loro masserizie logore e brutte [...] le case popolari".	*Ambienti in cui vivono:* "[...] ville e palazzi".
Passatempi: "[...] preferiscono al mare le vasche municipali, alla campagna i rognosi prati della periferia, e ai monti le terrazze delle loro case [...]".	*Passatempi:* "[...] Alla bella stagione i ricchi sogliono andarsene di qua e di là, al mare, in campagna, in montagna. Godono delle belle acque azzurre, dell'aria pura, delle solitudini alpestri; ritemprano gli animi e i corpi [...]".

2. Sostanzialmente la differenza maggiore sta nei "pezzetti di carta verde" a cui tutto si riconduce.

3. Perché l'inviato pensa che non sia possibile ricondurre la ragione di tutte le differenze sociali al denaro.

4. Può essere considerato sia un testo ironico che sarcastico: tutto il tono del racconto gioca fra questi due modi di interpretazione.

Riflessioni narratologiche

1. Sì, perché riflette sulle informazioni ricevute dai ricchi, commentandole in modo ironico.
2. L'uso delle domande retoriche.
3. Sì, perché l'autore descrive in modo a volte dettagliato gli ambienti e i caratteri dei protagonisti del racconto.

Riflessioni linguistiche

1. Spiacevole carattere, vestiti sudici e rattoppati, case squallide, masserizie logore e brutte, ...
2. Risposta libera.
3. Risposta libera.
4. Dicono dunque i ricchi che i poveri sono una gente venuta **da** non si sa dove, che si stabilì nel paese **in** tempi immemorabili e che **da** allora non ha fatto che proliferare, sempre mantenendo inalterato il suo spiacevole carattere.
   Nessuno, conosciuto questo carattere, potrebbe non deplorarlo e dar torto **ai** ricchi. I poveri, prima **di** tutto, non amano la pulizia e la bellezza. I loro vestiti sono sudici e rattoppati, le loro case squallide, le loro masserizie logore e brutte. Ma **per** una strana perversione **del** gusto essi sembrano preferire gli stracci **ai** panni nuovi, le case popolari **alle** ville e **ai** palazzi, i mobili **di** poco prezzo **a** quelli **di** marca.

5. Non parliamo della cucina dei poveri. Non esistono per loro i deliziosi manicaretti, i vini vecchi, i **dolci** squisiti. Essi preferiscono di gran **lunga** rozzi cibi quali fagioli, le cipolle, le **rape**, le patate, l'aglio, il pan secco. Quelle rare volte che si adattano a mangiare carne e pesce, state pur certi, che sceglieranno infallibilmente il **pesce** più tiglioso, la carne più dura. Il vino non gli piace che **agro** o annacquato. Non amano le **primizie** e aspettano a mangiare i piselli quando sono farinosi, i carciofi quando sono **stopposi**, gli asparagi quando sono **legnosi**. Impossibile, insomma, fargli apprezzare la gioia della tavola. [...]

Attività di produzione orale e/o scritta

1. 2. 3. 4. 5. Risposte libere.

NATALIA GINZBURG

LE SCARPE ROTTE
da *Le piccole Virtù*

NOTE

Riga 6 *tante paia ne aveva*: mancanza di **connettivo** (poiché, dato che, siccome ...) con ordine marcato dei costituenti (l'ordine standard della frase sarebbe: *ne aveva tante paia*).

Riga 7 *levano alte grida*: espressione idiomatica che indica fare dei rimproveri.

Riga 7 *di sdegno e di dolore*: coppia di sostantivi molto frequente nello stile della scrittrice Ginzburg.

Righe 11-12 *molli ed informi*: coppia di aggettivi frequente nello stile della scrittrice.

Riga 16 *tenero e vigile*: coppia di aggettivi.

Righe 17-18 *carica ... carica*: ripresa dell'aggettivo (**anafora**).

Riga 22 *nude e bagnate*: ancora una coppia di aggettivi.

Riga 24 *pallido e maschio*: altra coppia di aggettivi.

Riga 25 *cerchiati di tartaruga*: estensione del significato di una parola. Sta ad indicare il materiale con cui sono fatti gli occhiali (**sineddoche**).

Riga 26 *misterioso e sdegnoso*: altra coppia di aggettivi.

Riga 32 *io invece non posso*: con questa frase la scrittrice sintetizza il suo pensiero (**brachilogia**).

Riga 35 *bere tutti i suoi risparmi*: questa espressione mostra uno spostamento di significato del verbo *bere* che in questo caso indica "consumare" (**metonimia**).

Riga 43 *grave e materna*: coppia di aggettivi.

Riga 46 *asciutti e caldi*: coppia di aggettivi.

Riga 48 *asciutti e caldi*: ripetizione della coppia di aggettivi.

CHIAVI

Attività di comprensione

1. Perché ripensa al periodo della guerra, peggiore di adesso, e perché le scarpe non sono essenziali.
2. Perché lei ne ha tante paia e non capisce perché la figlia vada in giro con le scarpe rotte.
3. Anche lei porta le scarpe rotte, è sola. Ha un viso più duro e mascolino, non ha figli. Talvolta si fa prendere dalla malinconia.
4. Talvolta è stanca di lavorare, vorrebbe lasciar perdere tutto.
5. Materno e attento al fatto che i figli abbiano scarpe solide e sane.
6. *Scrittrice*: materna, ha buoni propositi per il futuro, ha progetti per i suoi figli, ricorda i tempi in cui è stata in difficoltà.
   Amica: demotivata, sul punto di abbandonare le armi, di smettere di lottare, annoiata di lavorare, non ha progetti per il futuro.

Riflessioni narratologiche

1. Il racconto è scritto in prima persona.
2. Narrativo perché racconta un'esperienza di vita della scrittrice.
3. Mia madre ... dolore alla vista delle mie scarpe (righe 5-8); E io a mia volta ... non conosce affatto (righe 41-44); Anche la mia amica ... io invece non posso (righe 18-32).

Riflessioni linguistiche

1. *Scarpe*: stabili e sicure; *Affetto*: dolce e attento; *Gambe*: scoperte e fradice; *Viso*: smunto e virile, cupo e sprezzante; *Piedi*: sani e tiepidi.
2. *Gattino*: piccolo gatto; *Tavolino*: piccolo tavolo; *Gabinetto*: falso alterato; *Postino*: falso alterato; *Tacchino*: falso alterato; *Libretto*: piccolo libro; *Ragazzetto*: piccolo ragazzo; *Bambino*: falso alterato; *Secchino*: un po' magro; *Lupetto*: falso alterato; *Berretto*: falso alterato; *Rossetto*: falso alterato; *Gelatino*: piccolo gelato; *Vestitino*: piccolo vestito; *Motorino*: falso alterato; *Vasetto*: piccolo vaso; *Pacchetto*: piccolo pacco; *Mobiletto*: piccolo mobile; *Foglietto*: piccolo foglio; *Biglietto*: falso alterato.
3. Con la montatura di tartaruga; finire tutti i soldi messi da parte; interrompere l'uso di gas e luce.
4. *Diversamente da*: le cose sono andate altrimenti da come le avevi previste; *in caso contrario*: non fare tardi altrimenti la mamma sta in pensiero, vado via altrimenti perdo l'autobus; *oppure, in alternativa*: puoi regalargli un libro altrimenti un quadro.
5. *Lanciare*: buttare un sasso dalla finestra; *far cadere qualcosa, gettare via*: buttare via la sigaretta; *inghiottire*: buttare giù un boccone; *scrivere affrettatamente*: buttare giù un articolo; *tendere, volgere verso una direzione*: questo tempo butta al bello; *dedicarsi a qualcosa*: buttarsi nello studio.
6. Usa i tempi al passato per descrivere situazioni ormai appartenenti al passato, il presente per situazioni che permangono nel tempo.

Attività di produzione orale e/o scritta

1. Vivere in una situazione di precarietà, di incertezza, di superficialità.
2. Persone stabili, concrete, sicure di sé.
3. Per affrontare situazioni difficili è bene essere preparati fin da quando si è bambini.
4. 5. 6. Risposte libere.

ALBERTO MORAVIA

TEMPORALE E FULMINE
da *Boh*

NOTE

Riga 5 *il primo venuto*: il primo uomo incontrato.

Riga 5 *eccolo*: avverbio, che rinvia al contesto in cui si svolge l'azione (**deittico spaziale** con pronome enclitico *lo*).

Riga 7 *come*: appena (**segnale discorsivo**).

Riga 8 *ecco, subito*: **segnali discorsivi**, tipici del parlato, che servono a soffermare l'attenzione del lettore sull'atteggiamento emotivo della protagonista.

Riga 9 *esplodo*: comincio a parlare con forza (**iperbole**).

Riga 9 *Ah*: parola invariabile che esprime una reazione improvvisa dell'animo (**interiezione**): in questo caso la protagonista vuole comunicare il suo sarcasmo.

Riga 9 *ci siamo*: **segnale discorsivo**, tipico del parlato, che serve a richiamare l'attenzione dell'interlocutore (in questo caso il marito) sull'atteggiamento emotivo della protagonista che si appresta ad esprimere (in modo aggressivo) la sua opinione.

Riga 9 *eccoti te*: avverbio e pronome personale, che rinviano al contesto in cui si svolge l'azione (**deittico spaziale** con pronome enclitico e **deittico personale**).

Riga 10 *eh*: parola invariabile che esprime una reazione improvvisa dell'animo (**interiezione**): in questo caso la protagonista vuole rafforzare la sua domanda.

Righe 10-11 *Quelli di Roma, quelli di Milano, quelli della tua sporca città?*: ripetizione della stessa struttura *quelli di* per enfatizzare il numero di giornali letti dal marito.

Riga 11 *Ma si può sapere che vai cercando*: la frase inizia con un **segnale** discorsivo "ma" di valore pragmatico che introduce l'opinione della donna riguardo alla lettura dei giornali. Il suo pensiero è espresso con una domanda a cui né lei, né il marito danno risposta.

Riga 13 *i giornali io non li guardo neppure*: **focalizzazione**, tipica del parlato, di un costituente della frase (*i giornali*) ripreso dal pronome *li* (**dislocazione a sinistra**). L'ordine non marcato sarebbe: *io non guardo mai i giornali*. L'avverbio *neppure* ha in questo caso il significato di "mai".

Riga 15 *sono stufa di te*: sono al limite della sopportazione, sono annoiata, seccata ...

Riga 16 *Sì*: è vero, **avverbio olofrastico** che anticipa una frase coordinata con valore avversativo: "ma che ci facciamo in questo appartamento?"

Riga 20 *Lui fuma e mi guarda; mi guarda e fuma*: disposizione incrociata dei costituenti per evidenziare le due uniche azioni che compie il marito (**chiasmo**).

Riga 24 *cosa confabulate ... sussurrando?*: disposizione degli elementi in ordine decrescente di intensità (**climax discendente**) per evidenziare la loro segreta complicità negli affari.

Riga 24 *che diavolo*: espressione figurata con valore pleonastico e rafforzativo "che cosa".

Riga 26 *lo sai qual è il mio ideale d'uomo, lo sai?*: ripetizione del componente *lo sai* alla fine dell'enunciato per enfatizzare il concetto (*l'ideale d'uomo*) (**frase eco**).

Riga 26 *Ebbene, sì*: **segnali discorsivi** con valore pragmatico che introducono una decisa affermazione della protagonista.

Riga 31 *sogna ad occhi aperti*: abbandonarsi a fantasie (espressione usata spesso nella lingua parlata).

Riga 32 *Ci siamo*: **segnale discorsivo**, tipico del parlato, che introduce una nuova situazione comunicativa.

Righe 35-36 *vlan, vlan e vlan*: ripetizione di parole onomatopeiche che riproducono il suono di alcuni schiaffi.

Righe 38-39 *eccomi*: avverbio (**deittico spaziale** con pronome enclitico *mi*) ripetuto all'inizio di ogni enunciato per enfatizzare la rapida corsa drammatica della protagonista.

Riga 43 *ecco*: **segnale discorsivo** di valore semantico che dà forza all'azione.

Riga 54 *della più bell'acqua*: espressione figurata (usata anche nella lingua parlata) che significa: della migliore specie.

Riga 55 *Ahimè*: parola invariabile (**interiezione**) che esprime una reazione improvvisa dell'animo: in questo caso la protagonista vuole comunicare il suo dispiacere, il suo dolore.

CHIAVI

Attività di comprensione

1. 1. b), 2. e), 3. d), 4. a), 5. c)
2. "[...] È un lento accumularsi, dentro di me, attraverso mesi e anni, dell'odio per qualche cosa che, però, non so cosa sia. [...]".
3. Risposta libera.
4. "[...] lo sai qual è il mio ideale d'uomo, lo sai? Ebbene, sì, Alain Delon, quando fa il gangster, il ladro, il rapinatore, il delinquente, insomma. Sì, questo è il mio ideale, l'uomo bello e intrepido, che non ha paura di niente e di nessuno, dalla pistola facile, dalla vita leggendaria. [...]".

Riflessioni narratologiche

1. Lo sposalizio a diciott'anni; l'avvicinarsi del marito; gli schiaffi dati alla moglie; la corsa fuori; la scoperta della vera vita del marito raccontata in un articolo di un giornale.
2. Il protagonista maschile ha le gambe storte, ha uno sguardo quasi disumano, ecc.
3. Testo descrittivo con uno stile discorsivo indiretto libero.

Riflessioni linguistiche

1. Risposta libera.
2. La cattiveria, il cinismo, l'onestà, il vittimismo, la colpevolezza.
3. Risposta libera.
4. Gangster, ladro, rapinatore, delinquente, associazione a delinquere, pistola facile.
5. Ah, ahimè, ...
6. Ci siamo, il temporale è finito; mi sono **sfogata**; e adesso, tutto ad un tratto, sono un po' spaventata. Anche perché lui mi guarda con uno **sguardo** che non gli conoscevo, uno sguardo nuovo, fisso, deliberato e, in qualche modo, **disumano**. Si avvicina con brevi passi rigidi; quando mi sta **sotto**, leva una sola mano dalla tasca, poi vlan, vlan e vlan, mi schiaffeggia più volte con una forza **oltraggiosa** anch'essa nuova. **Traballo** tra gli schiaffi, riprendo il mio equilibrio, lo guardo, quindi do in un grido **strano** come se lo vedessi per la prima volta e scappo. Eccomi nell'anticamera; eccomi, a **precipizio**, per le scale; eccomi nella strada. Rallento il passo, mi avvio verso un giardino **pubblico** che si trova non lontano dalla nostra casa [...].

Attività di produzione orale e/o scritta

1. 2. 3. 4. Risposte libere.

NATALIA GINZBURG

INVERNO IN ABRUZZO
da *Le piccole virtù*

NOTE

Riga 1 *Deus nobis haec otia fecit*: Un dio ci concesse questa vita tranquilla (Virgilio, Bucoliche 1, 6).

Riga 2 *non c'è che due stagioni*: **concordanza a senso**: *c'è* sta per "ci sono" in quanto il soggetto, *stagioni*, è plurale. Il fenomeno, in cui l'accordo del verbo con il soggetto posposto non rispetta la regola del plurale (esempio: *non c'è tante bestie, c'è tanti eroi ...*), è frequente nel parlato colloquiale.

Righe 2-3 *nevosa e ventosa come l'inverno ... caldo e limpido come l'estate*: confronto, paragone introdotto da *come*; esempio: *ti sei bagnato come un pulcino* (**similitudine**).

Riga 5 *dissenteria*: parola del linguaggio della medicina, sinonimo di infezione intestinale, diarrea.

Riga 6 *cessa*: cessare, forma colta per finire, smettere, interrompere.

Righe 6-7 *scalzi, scompaiono ... scalinate*: ripetizione dello stesso suono all'inizio di più parole successive.

Riga 8 *Quello*: **deittico**, si riferisce al paese di cui la scrittrice parla e non nomina.

Riga 12 *ceppi*: plurale di ceppo, pezzo di legno.

Riga 12 *fuochi, ... fuochi, fuochi,*: ripetizione elencativa che scatta col crescere del coinvolgimento emotivo della scrittrice e del lettore. In questo modo la parola fuoco assume su di sé un'attenzione particolare, necessaria per il significato svelato nel paragrafo successivo: *Era facile individuare i poveri e i ricchi, guardando il fuoco acceso ...*

Riga 13 *sterpi raccattati*: legni piccoli raccolti con frasche.

Righe 14-15 *le case e la gente, i vestiti e le scarpe*: fenomeno di elencazione di sostantivi.

Riga 15 *su per giù*: forma colloquiale per *quasi, circa*.

Riga 17 *ricche e povere, giovani e vecchie*: uso di coppie in antitesi, termini opposti associati in un'unica espressione.

Riga 18 *laggiù*: avverbio di luogo, elemento linguistico che avvicina il lettore al luogo di svolgimento della storia.

Riga 19 *strapazzi*: voce popolare per gravi affaticamenti.

Riga 24 *Era un esilio il nostro*: inversione con posposizione del soggetto per dare più importanza al termine esilio ... L'ordine standard sarebbe: il nostro era un esilio.

Riga 24 *la nostra città era lontana e lontani erano i libri, gli amici ...*: disposizione incrociata (**chiasmo**) di elementi che si corrispondono per la struttura grammaticale o per il significato: *Io ho paura di mettermi a piangere se ti telefono. Lì non è un posto adatto per telefonare e piangere* (da "Caro Michele").

Righe 26-27 *ci si riuniva ..., e lì si cucinava e si mangiava*: tratto linguistico diafasico e diastratico della varietà toscana, passato anche talvolta all'italiano, che vede l'uso del *si* impersonale per la 1ª persona plurale (*si va via* invece di *noi andiamo via*).

Righe 28-30 *era dipinta un'aquila: e io guardavo l'aquila ... L'esilio era l'aquila*: la ripetizione della parola aquila serve a porre l'attenzione del lettore proprio su questo termine.

Righe 29-30 *era ... era ... era la vasta e silenziosa campagna*: ripetizione del verbo: insieme alla posizione dell'aggettivo danno quasi un ritmo poetico alla frase.

Righe 30-31 *la vasta e silenziosa campagna e l'immobile neve*: anticipazione dell'aggettivo, uso frequente in poesia.

Righe 32-33 *Tutte le sere ... tutte le sere*: ripetizione.

Riga 33 *camminavamo a braccetto*: frase idiomatica per indicare il modo affettuoso di camminare con qualcuno sottobraccio.

Righe 34-35 *cognita*: voce dotta, latinismo per "nota, conosciuta".

Riga 35 *Con una buona salute*: frase generica di saluto e di augurio tipica della regione dell'Abruzzo.

Riga 36 *Ma quando ci ritornate alle case vostre?*: costruzione della frase per mettere in evidenza un termine, in questo caso *le case vostre*. Interessante notare anche la posizione dell'aggettivo possessivo dopo il sostantivo, uso tipico regionale.

Riga 37 *Te che sai tutto*: tratto colloquiale tipico di molte varietà regionali che vede l'uso della forma tonica del pronome (*vieni te?* invece di *vieni tu?*; *te non l'hai mai incontrato* invece di *tu non l'hai mai incontrato*).

Righe 38-41 *Mio marito lo chiamavano "il professore" ... e venivano da lontano a consultarlo ... sulle tasse e le imposte*: da notare la forma di riverenza nei confronti del marito della scrittrice, uomo colto, che per questo sapeva di tutto. C'è una somiglianza di situazione con il romanzo di Carlo Levi "Cristo si è fermato a Eboli" (1945). In questa frase è presente una **dislocazione a sinistra**, in quanto l'attenzione della scrittrice si focalizza sul ruolo del marito (l'ordine standard sarebbe: *mio marito era chiamato il professore*).

Riga 43 *secondo ... secondo*: **ripetizione**.

Righe 43-44 *antiche ed immutabili ... uniforme e antica*: ancora coppie di aggettivi.

Riga 46 *ci struggiamo*: struggersi, uso popolare per sciogliersi.

Righe 50-51 *accaduto a noi, a noi*: ripresa, all'inizio di un enunciato, di parole che si trovano alla fine dell'enunciato precedente (**anafora**).

Riga 52 *Allora*: elemento che mette in relazione la situazione con un altro momento della vicenda (**deittico**).

Riga 52 *avvenire facile e lieto*: ancora una coppia di aggettivi.

Riga 53 *Ma era quello il tempo*: ripresa temporale.

Righe 53-54 *solo adesso che m'è sfuggito per sempre solo adesso lo so*: ripresa di un elemento precedente della frase (**anafora**).

CHIAVI

Attività di comprensione

1. a) F, b) F, c) V, d) F, e) V
2. Dal modo in cui vivono le persone, dalle loro case, dai fuochi, dai mestieri che fanno.
3. Le donne dimostrano più anni di quelli che in realtà hanno, gli abitanti abruzzesi sono ospitali, ossequiosi e rispettosi, amici.

4. Malinconia, tristezza, lontananza dagli affetti del resto della famiglia, nostalgia della propria città. Mio marito morì a Roma ...

5. *Narratrice*: stava in casa con i bambini, cucinava, usciva con il marito, scrittrice, riflessiva, attenta.
   Marito: sta in casa a leggere e studiare, esce con la moglie, scrittore, serio, pensieroso.

6. I protagonisti sono in Abruzzo per obbligo.

7. a) Per andare a lavorare in altre città; b) Dai vestiti, le case, i fuochi, le professioni; c) Perché vivono in povertà, sono stanche dei frequenti parti, non hanno possibilità economiche per curarsi; d) Sta molto in casa, esce solo raramente; e) Perché hanno fiducia in lui e hanno bisogno di consigli; f) Lo ricorda quasi con nostalgia perché dopo sono accadute cose più dolorose.

Riflessioni narratologiche

1. Mio marito morì a Roma ... (righe 1-47; 48-54).
2. Risposta libera.
3. È presente.
4. In Abruzzo ... erano uguali (righe 1-15): *descrizione*; Quando venni ... le imposte (righe 23-41): *narrazione*; C'era una certa ... nostalgie (righe 42-47): *riflessione*.
5. All'inizio c'è la descrizione del luogo, alla fine ci sono riflessioni profonde sulla vita e sulla sua esperienza personale.

Riflessioni linguistiche

1. Acquoso, focoso, ferroso, arioso, muscoloso, noioso.
2. Frase marcata diatopicamente. "Quando ci tornate alle vostre case" è meno marcata.
3. "Il nostro era un esilio".
4. Venire, cominciare, morire, precedere.
5. Sfortuna, scontento, scomodo, sfiducia.
6. Stagione dell'anno - freddo, gelo, oscurità, buio; allontanamento forzato perpetuo o temporaneo dalla patria - vita ritirata, appartata, solitaria; precipitazione atmosferica solida che si presenta in piccoli cristalli riuniti in fiocchi - candore, bianchezza, freddezza; sviluppo di calore e di luce sotto forma di fiamma - calore, passione, entusiasmo; attività mentale che si svolge durante il sonno - fantasia, speranza illusoria.
7. È stata una lotta senza tregua, la pioggia cade senza tregua, lavorare senza un attimo di tregua, il mal di testa non mi dà tregua; quella donna avrà su per giù vent'anni; ho studiato l'italiano per un pezzo, vendersi un vestito per un pezzo di pane; i soldati hanno messo a fuoco tutte le case; ho imparato l'italiano a poco a poco, a poco a poco ho capito quello che mi volevi dire; ho incontrato Maria e Luigi a braccetto, passeggiavo a braccetto con mio marito, è bello prendere qualcuno a braccetto.

Attività di produzione orale e/o scritta

1. 2. 3. 4. 5. 6. 7. Risposte libere.
8. Si va in esilio per motivi politici o religiosi. L'esilio può essere permanente mentre si può emigrare in un altro paese, cioè risiedervi per un periodo di tempo.

ITALO CALVINO

L'UNIVERSO COME SPECCHIO
da *Palomar*

NOTE

Righe 1-8 *Il signor Palomar ... e in assoluto*: la prima frase del racconto, breve e sentenziosa, introduce immediatamente il lettore nell'argomento di cui si tratterà. È seguita da un ampio periodo, in cui si succedono subordinate relative introdotte dal che, all'interno delle quali sono presenti numerose ripetizioni (*giusto, a loro agio, quando, meglio, gli altri*) che scandiscono il ritmo della narrazione.
Il termine *prossimo* in questo caso è un sostantivo usato solo al singolare e accompagnato dall'articolo determinativo. Secondo la concezione cristiana significa "gli altri, l'umanità, la gente". Nella riga 16 è presente lo stesso termine ma ha valenza differente perché aggettivo.
All'interno del brano troviamo la frase *danno il meglio di sé*. Dare il meglio di sé significa "impegnarsi con tutte le proprie forze per raggiungere un obiettivo".

Righe 11-13 *con le cose ... nelle molecole*: serie di complementi che enfatizza la frase in un crescendo di informazioni (**elencazione asindetica**).

Riga 13 *A chi ... è amico*: disposizione incrociata degli elementi della frase, con lo scopo di sottolineare lo stretto rapporto tra di loro. Nel nostro caso abbiamo *amico + universo + universo + amico* (**chiasmo**).

Riga 16 *prossimo*: in questo caso è un aggettivo e significa vicino.

Righe 18-21 *Allontana ... siderei*: serie di brevi frasi strutturate secondo un andamento paratattico, che scandisce le azioni del protagonista. *Sidereo* significa "stellare", è un aggettivo specialistico, relativo al linguaggio dell'astronomia, che deriva dal latino *sidereus*, derivante a sua volta da *sidus-eris = stella*.

Riga 22 *suppellettile ... arredamento mentale*: meccanismo di trasferimento semantico in cui *l'idea degli spazi siderei* è accostata all'immagine della *suppellettile permanente dell'arredamento mentale*, intendendo per *arredamento* tutto ciò che esiste nella mente di Palomar, ossia qualcosa di indispensabile per la sua stessa esistenza (**metafora**). Letteralmente il termine *suppellettile* indica "l'insieme degli oggetti necessari alla funzionalità o all'arredo di una casa, di un ufficio, di una scuola, di una chiesa, e così via".

Righe 24-26 *Nebulosa del Granchio ... piatto di insalata*: linguaggio specialistico relativo all'astronomia, volutamente accostato a termini quotidiani quali *giradischi, foglie di crescione* (tipo di insalata con foglie dal sapore piccante), *piatto di insalata* con lo scopo di far riflettere il lettore sull'importanza di ogni minima azione che viene compiuta e la sua conseguente ripercussione nell'universo.

Riga 28 *pulviscolo d'eventi*: un insieme, un gran numero, una serie di eventi (**metafora**). Il termine *pulviscolo* deriva dal latino *pulvisculus*, diminutivo di *pulvis-eris = polvere*. Per *pulviscolo* si intende "l'insieme numerosissimo di minuscole entità, la polvere finissima impalpabile, che aleggia in un ambiente e si intravede specialmente, se illuminata da un raggio di luce".

Righe 31-32 *S'affretta ... affetti*: Serie di brevi frasi in ordine paratattico che scandisce le azioni del protagonista. All'interno si trova una serie di tre complementi *conoscenze, amicizie, rapporti d'affari* uniti da una elencazione che accelera la narrazione.

Riga 35 *impelagarsi*: mettersi, cacciarsi in una situazione difficile e rischiosa, spesso senza via d'uscita. *Garbuglio*: vistoso e intricato disordine, intreccio, labirinto.

Righe 35-36 *malintesi ... mancati*: serie di tre complementi (**elencazione asindetica**).

Riga 37 *maldestra, stonata, irresoluta*: serie di tre aggettivi (**elencazione asindetica**).

Riga 40 *fare a meno di*: evitare di mettere in gioco se stesso: rischiare, mettere a repentaglio se stesso.

Righe 44-47 *si dedicherà ... costellazioni*: serie di brevi frasi inserite in un ordine paratattico. All'interno del brano si trovano tre metafore che traggono le immagini dal mondo scientifico e geografico: *per geografia interiore* si intende "l'io interiore" scandagliato "geograficamente", come in una visione dall'alto e quindi precisa, oculata, ma anche distaccata; per *diagramma dei moti del suo cammino* si intende "il viaggio affrontato, il percorso fatto dall'io interiore" di Palomar, descritto in un'ottica scientifica; per *telescopio sulle orbite tracciate dal corso della sua vita* si intendono "i percorsi, gli eventi della vita" visibili attraverso "il telescopio della mente", che osserva dall'esterno permettendo una visione globale e oggettiva (**metafora**).
Il termine *diagramma* significa "rappresentazione grafica di una funzione matematica" e indica il modo con cui varia una certa grandezza o variano i valori caratteristici di un fenomeno fisico, sociale ecc.

Riga 54 *spigolose e scrostate*: ripetizione di/s/impura (**allitterazione**). Il reiterato suono aspro e duro di /s/+consonante sottolinea la solitudine di ogni essere umano, chiuso nelle alte mura, che rendono impossibile ogni forma di comunicazione con l'altro.

Righe 54-55 *il cielo stellato ... inceppato*: paragone che mette in relazione *i bagliori intermittenti* del cielo con *un meccanismo inceppato*, facendo comprendere a Palomar che l'universo, suo specchio, gli ricorda la sua mancanza di perfezione, ed è, *senza requie, come lui* (**similitudine**).

CHIAVI

Attività di comprensione

1. 1. e), 2. f), 3. c), 4. d), 5. a), 6. b)

Riflessioni narratologiche

1. Forniamo solo le parti del testo che cambiano:
soffro della mia difficoltà ... Invidio ... Penso che queste doti, di cui sono privo, siano concesse a chi vive in armonia ...

2. Forniamo una possibile suddivisione del testo in sequenze. Per ogni sequenza proponiamo anche una breve ipotetica didascalia o titolo:
PRIMA SEQUENZA: *Il signor Palomar ... e in assoluto.* (righe 1-8)
Titolo: L'invidia di Palomar.
Palomar invidia le persone che, a differenza di lui, sanno muoversi con scioltezza nei rapporti con gli altri e con il mondo.

SECONDA SEQUENZA: *Queste doti ... essere anch'io così.* (righe 8-14)
Titolo: Chi è in armonia con l'universo lo è con se stesso.
Palomar pensa che queste doti siano concesse a chi è in armonia con l'universo.
TERZA SEQUENZA: *Decide di provare ... coi suoi simili.* (righe 15-30)
Titolo: Palomar osserva l'universo.
Palomar decide quindi di entrare anche lui in armonia con l'universo concentrandosi su di esso e limitando i rapporti con i suoi simili.
QUARTA SEQUENZA: *S'affretta a tornare ... cos'è che non funziona?* (righe 31-37)
Titolo: Delusione di Palomar.
Palomar una volta rientrato in società continua ad avere problemi relazionali.
QUINTA SEQUENZA: *Questo ... cosa vedrà.* (righe 38-51)
Titolo: Il viaggio interiore di Palomar.
Osservando l'universo ha dimenticato di concentrarsi su se stesso. Decide quindi di affrontare il viaggio interiore alla scoperta di sé.
SESTA SEQUENZA: *Apre gli occhi ... senza requie come lui.* (righe 52-56)
Titolo: L'universo, ingranaggio "inceppato" come noi.
Palomar conclude il suo viaggio constatando che l'universo è inceppato proprio come lui e non può che confermare la sua incomunicabilità.

Riflessioni linguistiche

1. Costellazioni, firmamento, atomi, molecole, galassie, spazi siderei, Nebulosa del Granchio, ammasso globulare di Andromeda, pulviscolo, astri, diagramma, formule, teoremi, telescopio, orbite, avamposto.
2. Risposta libera.
3. Terraferma (N+V), calzamaglia (N+N), agrodolce (Ag+Ag), bassorilievo (A+N).
4. Vedi righe 1-8 e 40. Risposta libera.
5. Rivolto, concesso, stabilito, ridotto, espulso, collegato, sottoposto, impelagato, apparso, esteso.
6. Concessione, stabilimento, riduzione, espulsione, collegamento, apparizione, estensione.
7. Maldestro/esperto, capace; stonato/intonato; indiscreto/discreto; netto/confuso; preciso/vago, incerto; anonimo/conosciuto, noto; spigoloso/affabile, amabile, gentile; pericolante/saldo, stabile.

Attività di produzione orale e/o scritta

1. 2. 3. 4. 5. 6. Risposte libere.

DINO BUZZATI

INVITI SUPERFLUI

da *Sessanta racconti*

NOTE

Righe 1, 12, 24, 31 *Vorrei*: ripetizione della stessa parola all'inizio di enunciati successivi (**anafora**).

Riga 7 *daran*: caduta della parte finale della parola *daranno* (**troncamento**).

Righe 8, 19, 27, 35 *Ma tu*: forma reiterata per richiamare l'attenzione della ipotetica compagna e quindi del lettore. Ripetizione di *Ma tu* all'inizio di enunciati successivi (**anafora**).

Riga 14 *e che fosse domenica*: forma ellittica in cui manca la ripetizione del verbo *vorrei*.

Riga 22 *incontrar*: caduta della parte finale della parola *incontrare* (**troncamento**).

Riga 33 *saran*: caduta della parte finale della parola *saranno* (**troncamento**).

Riga 42 *di giorno o di notte, d'estate o d'autunno*: ripetizione della stessa struttura (**parallelismo**).

Riga 47 *vedrai*: **connettivo pragmatico**.

Riga 53 *eppure*: **connettivo semantico**.

CHIAVI

Attività di comprensione

1. *Vorrei che tu venissi ... ricorderesti.* (inverno) (righe 1-11)
   Vorrei con te passeggiare ... nient'altro. (primavera) (righe 12-23)
   Vorrei anche andare ... istante felici. (estate) (righe 24-30)
   Vorrei pure ... ed io sarei solo. (autunno) (righe 31-38)
   È inutile ... queste cose. (righe 39-54)

2. PRIMA SEQUENZA:
   Tesi: lui vorrebbe attraversare con la donna amata il mondo delle favole.
   Antitesi: lei non conosce il mondo delle favole.
   Sintesi: i due rimarranno muti ognuno perso nel proprio mondo.
   SECONDA SEQUENZA:
   Tesi: lui vorrebbe, di domenica, passeggiare e perdersi nelle strade dei quartieri della periferia tenendo per mano la sua donna, in silenzio perché le anime non hanno bisogno di parole.
   Antitesi: lei non comunica e non ama quelle domeniche, preferisce le luci, la folla.
   Sintesi: lei è diversa e se venisse a passeggiare si lamenterebbe.
   TERZA SEQUENZA:
   Tesi: lui vuole andare in una valle solitaria e perdersi.
   Antitesi: lei non riuscirebbe ad apprezzare tutto questo.
   Sintesi: non sarebbero felici.

QUARTA SEQUENZA:
Tesi: lui vorrebbe attraversare le grandi vie della città con la sua donna e guardare il cielo di cristallo.

Antitesi: lei vuole guardare le vetrine, gli ori, le sete.

Sintesi: lei penserebbe al suo povero domani e lui sarebbe solo.

QUINTA SEQUENZA:
Tesi: lui vorrebbe rivederla.

Antitesi: ma lei è mentalmente già lontana e si è già dimenticata di lui probabilmente.

Sintesi: eppure lui la pensa ancora.

3. Introducono l'antitesi e cioè la delusione dell'autore/protagonista che, una volta elencati i propri desideri, non può che analizzare l'impossibilità della realizzazione degli stessi a causa della differenza di carattere con la donna amata, troppo distante da lui.

Riflessioni narratologiche

1. Riprendere l'analisi fatta nell'esercizio n. 2 delle attività di comprensione.
2. Risposta libera.
3. Forniamo qualche esempio:
   - prima sezione: *strade buie e gelate; foreste piene di lupi, giardini stregati;*
   - seconda sezione: *cielo grigio, pensieri malinconici e grandi, cose insensate, stupide e care;*
   - terza sezione: *valle solitaria, anime fresche;*
   - quarta sezione: *cielo di puro cristallo;*
   - quinta sezione: *casa disadorna, squallida locanda, vestiti vecchi, ombre innumerevoli.*

Riflessioni linguistiche

1. *Avrei voluto che tu fossi venuta ... avessimo ricordato.*
2. Per questo esercizio può essere utilizzato l'esercizio n. 3 delle riflessioni narratologiche.
3. L'uso del modo condizionale indica dubbio, ipotesi, desiderio.
4. con/ai/i/i/gli/All'-D'/Avessi avuto/mi/mi/con.

Attività di produzione orale e/o scritta

1. 2. 3. Risposte libere.

ALBERTO MORAVIA

IL TACCHINO DI NATALE
da *Racconti Surrealisti e Satirici*

Riga 4 *Grande però fu la sua meraviglia ...* : questa frase presenta un ordine alterato dei costituenti per dare maggiore enfasi all'espressione del protagonista. L'ordine standard sarebbe: *la sua meraviglia fu grande*.

Riga 7 *insomma*: **segnale discorsivo** di tipo semantico che evidenzia la conclusione dell'opinione del protagonista (*quindi, dunque*).

Righe 8-9 *voleva forse egli, con le sue stupide ... il matrimonio*: anche questa domanda retorica mette in risalto le opinioni di un protagonista del racconto (*la moglie*) alterando l'ordine standard dei costituenti. L'ordine normale sarebbe: *Forse egli voleva mandare a monte il matrimonio, con le sue stupide osservazioni?*.

Riga 16 *certo*: **segnale discorsivo** di tipo pragmatico che serve a rendere l'articolarsi del discorso per dare un effetto di immediatezza tipico del parlato.

Riga 20 *si sa*: **segnali discorsivi** di tipo pragmatico: anche questa espressione dà al testo il carattere discorsivo tipico del parlato.

Righe 28-29 *come si dice*: **segnali discorsivi** di tipo pragmatico: anche questa espressione dà al testo il carattere discorsivo tipico del parlato.

Riga 30 *fiume di lagrime*: **metafora** che rende più evidente la disperazione della figlia.

Riga 44 *tacchini*: ripetizione della parola *tacchino* (**anafora**) per evidenziare l'assurdità della situazione.

Riga 48 *pieno di bile*: **metafora** che comunica la grande rabbia del protagonista.

Riga 55 *insomma*: **segnale discorsivo** di tipo pragmatico che dà al testo un carattere di immediatezza e conclude il pensiero della moglie.

Attività di comprensione

1. 1. b), 2. a), 3. c)

Riflessioni narratologiche

1. Risposta libera.
2. Rapimento della figlia Rosetta.
3. Righe 14-24; righe 53-55.
4. Risposta libera (esempio: all'inizio del racconto, quando si descrive la posizione del tacchino in salotto anziché allo spiedo).
5. "[...] voleva forse egli, con le sue stupide osservazioni, mandare a monte il matrimonio che già pareva profilarsi? [...]" (righe 8-9); "[...] Ella non poteva più vivere in questo modo, balbettava tra i singhiozzi, mentendo a sé stessa e ai genitori [...]" (righe 31-32).

Riflessioni linguistiche

1. *Giacchè*: poiché, dal momento che; *allorché*: nel momento in cui, quando, appena; *bensì*: ma, invece; *insomma*: quindi, dunque; *certo* (connettivo pragmatico): davvero, veramente.
2. "Però la sua meraviglia fu grande"; "Egli voleva forse mandare a monte il matrimonio?"
3. *Partito il tacchino*: dopo che il tacchino partì/era partito; *affacciatosi alla finestra*: appena/nel momento in cui si era affacciato alla finestra; *caricatala*: dopo averla caricata; *scacciato da più luoghi*: che era stato scacciato da più luoghi.
4. La scelta stilistica contrasta con la maggior parte del racconto che presenta una forte influenza dei tratti substandard e del discorso indiretto libero.
5. Risposta libera.
6. 1. (a), 2. (b), 3. (a), 4. (c), 5. (b), 6. (c), 7. (c)

Attività di produzione orale e/o scritta

1. 2. 3. 4. 5. Risposte libere.

NATALIA GINZBURG

SILENZIO
da *Le piccole virtù*

 NOTE

Riga 2 *sanguinose e pesanti*: coppia di aggettivi.

Righe 2-3 *Noi stavamo zitti. Stavamo zitti ... Stavamo zitti*: ripetizione degli stessi elementi all'inizio di tre enunciati consecutivi per rendere più marcato il ritmo del testo (**anadiplosi**).

Righe 3-5 *Stavamo zitti*: ripresa degli stessi elementi presenti in enunciati precedenti (**anafora**).

Righe 6-7 *ricchi del nostro silenzio*: qui la scrittrice vuole sottolineare la ricchezza del silenzio con l'uso di una **metafora**.

Riga 7 *vergognosi e disperati*: ancora una coppia di aggettivi.

Riga 9 *sono moneta fuori corso*: ancora l'uso di una figura retorica per sottolineare la funzione delle parole dei genitori (**metafora**).

Riga 11 *acquatiche, fredde, infeconde*: serie di aggettivi.

Righe 11-12 *Non ... non ... non*: **anafora**.

Riga 18 *Del ... del ... del*: **anafora**.

Riga 24 *così*: elemento che rende di più la vicinanza al parlato (**connettivo pragmatico**).

Righe 23-25 *alcuni ... alcuni ... alcuni*: **anafora**.

Riga 28 *silenzio il silenzio ... o il silenzio*: **anadiplosi**.

Riga 31 *da non meritare le sia detto nulla*: modo di riferirsi ad un termine sottinteso, in questo caso l'anima (**ellissi**).

Riga 32 *nessun diritto ... nessun diritto*: **anafora**.

Righe 38-39 *ascoltare, ascoltava*: la stessa parola viene ripetuta in altra forma (**poliptoto**).

Riga 40 *superficiale e banale*: ancora una coppia di aggettivi.

CHIAVI

Attività di comprensione

1. Da ragazzi, per protesta e per sdegno, per far capire ai genitori che le loro vecchie parole non ci servivano più.

2. Fanno viaggi, si ubriacano, vanno al cinema, giocano a bridge, fanno l'amore.

3. Silenzio con se stessi dominato dall'antipatia per il nostro stesso essere, dal disprezzo per la nostra anima; silenzio con gli altri.

4. Parlare incessantemente di noi stessi, mettere a nudo le radici del proprio silenzio.

5. Perché è come l'accidia e la lussuria, è comune a tutti, è il frutto della nostra epoca malsana.

Riflessioni narratologiche

1. Abbiamo cominciato a tacere ... Noi stavamo zitti ... Stavamo zitti per far capire ... Avremmo speso ...

2. Sì. Il senso di panico nasce dal senso di colpa ... Del senso di panico, del senso di colpa ognuno cerca di guarire ... Alcuni vanno ... Esistono due specie di silenzio ... Il mezzo più diffuso per liberarsi ... Il silenzio come l'accidia ... è un peccato ...

Riflessioni linguistiche

1. Violente e forti, cruente e grevi; disonorevoli e angosciati, ignobili e sconfortati; impaurito e responsabile; generale e intenso; leggero e ovvio.

2. Impreziositi dal silenzio, dalla mancanza di parole; cose non più usuali, non più usate.

3. Parlare, conversare, gridare, urlare, chiamare, dire, pronunciare ... udire, sentire ...

4. È noto che fra i vizi della nostra epoca c'è il senso della colpa di cui si parla e si scrive molto. E di cui tutti ne soffriamo e ci sentiamo coinvolti in una faccenda di giorno in giorno più sudicia. Si è detto anche del senso di panico e anche di questo tutti ne soffriamo perché questo nasce dal senso di colpa e chi si sente spaventato e colpevole, tace.

5. Silenzio, gli altri, forma, noi stessi, disprezzo, vile, chiaro, diritto, persona, pensieri.

Attività di produzione orale e/o scritta

1. 2. 3. 4. 5. Risposte libere.

ITALO CALVINO

DEL MORDERSI LA LINGUA
da *Palomar*

NOTE

Riga 1 *si fanno in quattro*: locuzione verbale che significa "darsi da fare".
Altre frasi idiomatiche dove compaiono numeri: *in quattro e quattro otto*: fare le cose velocemente; *essere due/quattro gatti*: essere in pochi; *fare due/quattro passi*: camminare un po', generalmente senza una meta precisa.

Riga 2 *mordersi la lingua*: locuzione verbale che in senso figurato significa "trattenersi dal parlare", specificatamente per non offendere l'interlocutore.
Altre locuzioni verbali: *mordersi le mani*: essere irritato e pentito per non aver approfittato di un'occasione; *mordersi la coda*: una situazione senza sbocchi, senza soluzioni, un circolo vizioso.

Righe 3-4 *Se ... della cosa che stava per dire, la dice*: nella frase si mettono in rilievo, anticipandoli, alcuni elementi diversi dal soggetto *della cosa che stava per dire*, per poi riprenderli con il pronome *la*. La frase non marcata sarebbe: *se al terzo morso di lingua è ancora convinto dice la cosa che stava per dire* (**dislocazione a sinistra**).

Riga 4 *se no*: si trova anche *sennò* che significa "altrimenti", "in caso contrario". Ha anche valore di congiunzione.

Riga 12 *egli*: uso standard del pronome soggetto di 3ª persona singolare maschile, che generalmente viene sostituito da *lui* secondo i tratti del neostandard.

Righe 15-16 *In tempi ... In tempi*: la ripetizione di una o più parole all'inizio di enunciati successivi rende incalzante la narrazione richiamando l'attenzione del lettore (**anafora**)

Riga 18 *inondazione di parole*: traslato che significa "una grande quantità di parole" (**metafora**).

Riga 19 *Ma allora*: connettivo che garantisce la coerenza del testo (**connettivo semantico**).

Riga 22 *Nel primo caso*: connettivo che garantisce la coerenza del testo (**connettivo semantico**).

Righe 22-23 *non procede in linea retta ma a zigzag*: traslato che descrive come il pensiero di Palomar sia discontinuo e non lineare (**metafora**).

Riga 23 *oscillazioni, smentite, correzioni*: tre sostantivi che rendono incalzante la narrazione (**elencazione asindetica**).

Riga 24 *Quanto alla seconda alternativa*: connettivo che garantisce la coerenza del testo (**connettivo semantico**).

Riga 26 *Infatti*: connettivo che garantisce la coerenza del testo (**connettivo semantico**).

Riga 27 *silenzio-discorso*: antitesi in cui si accostano termini contraddittori (**ossimoro**).

Riga 28 *cioè*: connettivo che garantisce la coerenza del testo (**connettivo semantico**).

Riga 29 *O meglio*: connettivo che garantisce la coerenza del testo (**connettivo semantico**).

Righe 33-34 *sto per dire o non dire ... se io dico o non dico ... sarà detto o non detto*: ripetizione della stessa alternanza affermazione-negazione, che serve a sottolineare l'eterna indecisione di Palomar perso nell'infinito calcolo delle probabilità (**parallelismo**).

Attività di comprensione

1. 1. d), 2. a), 3. e), 4. c), 5. b), 6. g), 7. f)
2. a) Perché viviamo in un'epoca e in un paese in cui tutti parlano troppo.

   b) Rimpiange di non aver detto qualcosa che avrebbe potuto dire al momento opportuno.

   c) Da un lato compiaciuto per aver pensato spesso la cosa giusta, dall'altro oppresso dal senso di colpa per aver taciuto. Ma dopo essersi morso la lingua si convince che non ha nessun motivo né d'orgoglio né di rimorso.

   d) Ogni volta che si morde la lingua deve pensare a quello che sta per dire o non dire e a tutte le conseguenze che l'una e l'altra azione comportano. Formulato questo pensiero si morde la lingua e rimane in silenzio.

Riflessioni narratologiche

1. Esterno perché la narrazione è in 3ª persona.
2. Rendere oggettiva l'analisi del pensiero e dell'atteggiamento del protagonista.
3. Il discorso diretto alla fine del testo.

Riflessioni linguistiche

1. Consigliare agli studenti, prima di formulare frasi nuove, di rileggere il significato delle espressioni idiomatiche nel glossario. Risposta libera.
2. Il signor Palomar conclude pensando che ogni volta che si morde la lingua deve pensare non solo a quel che sta per dire o non dire, ma a tutto ciò che se dice o non dice sarà detto o non detto da lui o da altri.
3. *V. riflessivi:* mordersi la lingua, farsi in quattro, si convince, conformarsi, si perderebbe; *v. impersonali:* si dà il caso, si dice, si tace; *forme al passivo:* è diviso, è tentato, essersi morsicato, può essere considerato, possano essere usate, sarà detto o non detto.
4. *Riservatezza* deriva da *riservato, giustezza* da *giusto.* Una volta che gli studenti hanno cercato sul dizionario il significato delle parole si può spiegare come si formano le parole in italiano: attraverso trasformazioni che consentono di passare da parole-base a *suffissati* (esempio: orologio>orologi*aio*, idea>ide*are*, bello>bell*ezza*, cantare>cant*icchiare*), a *prefissati* (esempio: *ri*fare, *pre*campionato), a *composti* (esempio: asciugamano VN, terraferma NA, bassorilievo AN, calzamaglia NN, agrodolce AA).
5. Bellezza, dolcezza, grandezza, certezza, freschezza, bruttezza, altezza, bassezza.
6. (riga 6) ... *si dà il caso che rimpianga* ... La principale ha una forma impersonale.

   (riga 9) ... *se allora avesse espresso* ... *forse avrebbe avuto* ... Periodo ipotetico del 3° tipo, dell'irrealtà.

   (riga 19) ... *implicando conseguenze che diano* ... Normalmente nelle frasi relative si usa l'indicativo; usiamo il congiuntivo per dare alla frase un significato di eventualità, come in questo caso.

   (riga 30) ... *perché possano essere usate* ... L'uso del congiuntivo è giustificato dalla subordinata finale.

Attività di produzione orale e/o scritta

   1. 2. 3. 4. 5. 6. 7. Risposte libere.

DINO BUZZATI

LA PAROLA PROIBITA
da *Sessanta racconti*

NOTE

Riga 1 *velati accenni ... vaghi sussurri*: abbiamo una ripetizione della struttura "aggettivo + sostantivo" che dà al primo periodo un carattere retorico e restrittivo.

Riga 9 *È vero ... È vero*: ripetizione all'inizio di due enunciati della stessa struttura sintattica (**anafora**).

Riga 10 *girano alla larga*: espressione idiomatica che significa "stare lontano, non avvicinarsi".

Riga 12 *Vedi*: **segnale discorsivo** tipico del parlato, con intenti pragmatici, per richiamare l'attenzione dell'interlocutore.

Riga 13 *credimi*: **segnale discorsivo** con intento pragmatico.

Riga 17 *darmi le arie*: espressione idiomatica che vuol dire "vantarsi".

Riga 21 *suvvia*: altro **segnale discorsivo** di tipo pragmatico per cercare la collaborazione dell'interlocutore.

Riga 22 *potresti dirmela, questa parola benedetta*: ordine focalizzato dei costituenti che evidenzia l'oggetto (*questa parola benedetta*) su cui si concentra l'attenzione dei parlanti grazie a una sua **dislocazione a destra** della frase.

Riga 26 *andare in cerca col lumino*: espressione idiomatica che sta per "cercare con cura e scrupolosità".

Riga 28 *in men che non si dica*: espressione idiomatica che significa "molto in fretta, velocemente".

Righe 28-29 *Denunce, multe o carcere*: disposizione degli elementi che aumenta l'intensità della tensione dell'enunciato (**climax ascendente**).

Riga 30 *questa parola, hai deciso di non dirmela?*: disposizione focalizzata dell'oggetto (*questa parola*), collocato in posizione iniziale e ripreso da un pronome diretto (**dislocazione a sinistra**).

Riga 33 *Anche tu, anche tu?*: ripetizione consecutiva degli stessi elementi che danno alla frase un forte significato pragmatico (**anadiplosi**).

Righe 38-39 *un bel giorno la identificherai anche tu, la parola proibita*: disposizione dell'oggetto (*la parola proibita*) focalizzato alla fine della frase anticipato da un pronome diretto (**dislocazione a destra**).

Riga 41 *bene*: **segnale discorsivo** pragmatico.

Riga 41 *testone*: sostantivo con suffisso accrescitivo che vuol dire "persona particolarmente ostinata".

Riga 45 *Ahi, ahi*: **interiezioni**, tipiche del parlato, che segnalano lo stato d'animo dell'interlocutore.

Riga 49 *Oggi, qui*: elementi **deittici** di tipo temporale e spaziale che avvicinano il testo alla situazione.

Riga 50 *l'ho mai adoperata questa parola misteriosa?*: disposizione dell'oggetto (*questa* *parola misteriosa*) focalizzato alla fine della frase anticipato da un pronome diretto (**dislocazione a destra**).

Riga 56 *su, dimmi*: **segnali discorsivi** con intento pragmatico che intendono sollecitare la risposta dell'interlocutore.

Riga 58 *ecco*: **segnale discorsivo** con intento pragmatico.

Riga 58 *ma ti giuro*: **segnale discorsivo** composto da una frase molto usata nel parlato.

Riga 65 *Insomma*: **segnale discorsivo** di tipo semantico che porta alla conclusione le idee dell'interlocutore.

CHIAVI

Attività di comprensione

1. 1. c), 2. a), 3. b), 4. a)

Riflessioni narratologiche

1. Risposta libera.
2. Il narratore si identifica con il protagonista che parla in 1ª persona in tutto il dialo;

Riflessioni linguistiche

1. Risposta libera.
2. Sentirsi mancare l'aria; prendere una boccata d'aria; libero come l'aria; cambiare aria; aria tesa; aria di festa; non è aria; aria da funerale; che aria hai!; fuori tutti, aria!; ...
3. Guardare in cagnesco: in modo ostile, minaccioso; essere allupato: chi è smanioso di avere un rapporto sessuale; essere imbelvito: essere molto arrabbiato.
4. Sopracciglia; soprabito; sopracoperta; sottoveste; sottobicchiere; sottoinsieme ...
5. Parlottare, parlare, gridare, bisbigliare ...

Attività di produzione orale e/o scritta

1. 2. 3. 4. Risposte libere.

ALBERTO MORAVIA

FACCIA DI MASCALZONE
da *Racconti romani*

NOTE

Riga 2 *lì*: avverbio di luogo che rinvia al contesto spaziale in cui si svolge la storia. L'autore-narratore avvicina il lettore alla vicenda usando questo elemento linguistico (**deittico spaziale**), interpretabile grazie a un riferimento al contesto.

Riga 4 *dico*: **segnale discorsivo**, tipico del parlato, che ha la funzione pragmatica di richiamare l'attenzione del lettore. L'uso di segnali discorsivi dà al narrato la struttura di un racconto impostato "ad alta voce".

Riga 5 *intendiamoci*: **segnale discorsivo** con funzione pragmatica che serve a soffermare l'attenzione del lettore su un punto che si ritiene importante ai fini della comprensione.

Riga 7 *come ho detto*: **segnale discorsivo**, con valore semantico, che riprende quanto è già stato detto, evitando che il discorso si allunghi troppo.

Riga 12 *Perché ci pensasse, non lo so*: focalizzazione di alcuni elementi della frase (*perché ci pensasse*) ripresi dal pronome *lo* (**dislocazione a sinistra**). Questo procedimento evidenzia l'informazione che il narratore vuole dare. L'ordine non marcato sarebbe: *Non so perché ci pensasse.*

Riga 13 *era fissata*: **espressione figurata** che significa "era molto interessata a quella cosa".

Riga 27 *agli studi ...*: i tre punti di sospensione ripetuti più volte indicano graficamente un momento di pausa (**tratto soprasegmentale** tipico dell'oralità) nel parlato.

Righe 48-49 *È lui ... è lui ... eccolo*: serie di elementi linguistici (pronomi personali, avverbio con pronome enclitico) che rinviano al contesto. Questi elementi sono accompagnati dall'indicalità nel parlato in situazione: infatti l'autore aggiunge l'enunciato: *puntandomi in petto l'indice* in cui il gesto realizza il parlato stesso (**deittici personali**).

Riga 52 *nevvero*: **segnale discorsivo** che si usa all'inizio o alla fine di una frase per chiedere conferma o assenso per quanto si sta per dire o si è già detto; è una forma sintetica e colloquiale di "non è vero". In questo caso conclude la domanda: *Lei è un mascalzone ... un magnaccia, nevvero?*

Riga 54 *Guardi*: faccia attenzione a come parla.

CHIAVI

Attività di comprensione

1. 1. c), 2. d), 3. a), 4. b)
2. a) attore;
   b) grazie a Valentina.
3. Risposta libera.

Riflessioni narratologiche

1. È interno perché parla in prima persona.
2. 3. Risposte libere.

Riflessioni linguistiche

1. 2. 3. 4. 5. 6. Risposte libere.

Attività di produzione orale e/o scritta

1. 2. 3. Risposte libere.
4. Il cinema neorealista nasce in Italia nel 1943 con il film *Ossessione* di Luchino Visconti e prosegue, fra gli altri, con i capolavori di Rossellini (*Roma città aperta*, 1946) e di De Sica (*Ladri di biciclette*, 1948). I temi più importanti di questo movimento (sia in letteratura che nel cinema) sono:

a) rappresentazione della guerra e della Resistenza;

b) rivalutazione delle classi sociali più umili come veri protagonisti della Storia;

c) l'analisi della questione meridionale;

d) la questione linguistica, cioè la dicotomia fra italiano e dialetto.

Il cinema, da parte sua, aderisce in modo più diretto al reale, senza mediazioni letterarie; per questo nei film neorealisti vediamo con molta frequenza scene in cui compaiono vie, strade vere, piazze e non teatri di posa; si preferiscono inoltre attori non professionisti, gente della strada, che rappresenta al meglio il quotidiano, la durezza della vita e non la favola. Gli attori interpretano ruoli di personaggi non eroici (pensionati, barboni, disoccupati, vagabondi, bambini abbandonati).

La realtà del dopoguerra era enormemente ricca di spunti per riflettere sulla condizione dell'uomo: il regista doveva quindi portare l'uomo stesso a riflettere sulle cose che faceva, perché ora il regista voleva comprendere il sociale, voleva partecipare con tutti i mezzi a disposizione alla rinascita del Paese. Per questo possiamo parlare del cinema neorealista come di un cinema morale, perché voleva affrontare la realtà, non voleva produrre film di evasione in cui si facevano vedere solo eroi immaginari.

La prospettiva del Neorealismo è quella di scoprire l'attualità, perché la guerra ha fatto scoprire la vita nei suoi valori continui, evidenziando una sottostoria, un sottobosco fatto di gente qualunque, un universo di umili che la guerra e la dittatura fascista avevano disperso.

Nel Neorealismo vediamo un mondo di persone umili, caratterizzato spesso dall'ideologia della terra, legato ancora a un'economia agricola patriarcale.

Il Neorealismo è, quindi, una presa di coscienza e al tempo stesso una constatazione della sconfitta storica delle persone più indifese e più semplici.

NATALIA GINZBURG

LE PICCOLE VIRTÙ

da *Le piccole virtù*

NOTE

Riga 1 *insegnar*: forma **apocopata** per "insegnare". Il fenomeno della caduta della vocale finale nell'infinito è frequente nell'italiano centro-settentrionale.

Righe 1-5 *non le piccole virtù, ma le grandi, non il risparmio, ma la generosità ... non la prudenza, ma il coraggio ... non l'astuzia, ma la schiettezza ... non la diplomazia, ma l'amore al prossimo ... non il desiderio del successo, ma il desiderio di essere e di sapere*: è frequente nelle opere della scrittrice piemontese l'elencazione di più aggettivi o più sostantivi. In questo caso i sostantivi sono elencati in contrapposizione per dare maggiore rilevanza (**antitesi**). È inoltre presente una struttura sintattica che ripete lo stesso ordine dei costituenti (**parallelismo**).

Righe 9-14 *Trascuriamo ... assolutamente essere insegnate*: da notare la sintassi abbastanza complessa del periodo che segue un andamento strutturato secondo polisindeto, forse per la difficoltà dell'argomento trattato: non siamo infatti di fronte ad un testo descrittivo in cui si vede l'evolversi di una vicenda, bensì si sostengono delle convinzioni; talvolta lo stile linguistico della scrittrice sembra quasi seguire il flusso del suo pensiero e quindi finisce per organizzarsi in modo più articolato. I numerosi incisi presenti in questo periodo mimano la necessità di precisare e puntualizzare.

Righe 16-17 *parla, sentenzia, disserta*: i verbi qui in successione presentano significati progressivamente più intensi per dare maggiore enfasi all'azione della *ragione* (**climax ascendente**). *Sentenziare:* emanare un giudizio; *dissertare:* trattare di un argomento ragionandovi sopra a lungo con impegno e serietà.

Righe 17-19 *Le grandi virtù sgorgano da un* **istinto** *... un* **istinto** *a cui sarebbe difficile ... quel muto* **istinto***: e non nel nostro* **istinto** *di difesa*: notare la continua ripetizione e ripresa dello stesso elemento, ma con funzione diversa (**poliptoto**).

Righe 19-20 *argomenta, sentenzia, disserta*: ripetizione simile della stessa successione di azioni (vedi righe 16-17).

Riga 22 *i sentimenti, gli istinti, i pensieri*: siamo di fronte ad una terna di sostantivi disposti in modo seriale.

Righe 24-26 *Le piccole virtù, in se stesse, ... Non che le piccole virtù, in se stesse*: ancora un esempio di ripetizione di un intero sintagma.

Riga 28 *da sole senza le altre ... da sole senza le altre*: ripetizione.

Righe 29-30 *Il modo di esercitare le piccole virtù, ... l'uomo può trovarlo ... e berlo ...*: mutamento dell'ordine standard dei costituenti della frase per porre attenzione su un intero sintagma. L'ordine non marcato sarebbe: *l'uomo può trovare intorno e sé e bere nell'aria il modo di esercitare le piccole virtù*. Si tratta qui di una **dislocazione** a sinistra di un intero sintagma (*il modo di ...*) con ripresa pronominale.

Riga 31 *comune e diffuso*: coppia di aggettivi.

Righe 33-35 *... il* **grande** *può anche contenere il* **piccolo***: ma il* **piccolo** *non può in alcun modo contenere il* **grande***:* disposizione incrociata di elementi paralleli (**chiasmo**).

Righe 37-38 *Quello della nostra giovinezza e infanzia non era un tempo di piccole virtù*: l'ordine non marcato della frase sarebbe: *un tempo di piccole virtù non era quello della nostra infanzia*. In questo caso si focalizza l'attenzione sul *tempo*, anticipato dal **deittico** temporale *quello* (**catafora**).

Riga 39 *parole sommesse e frigide*: ancora una coppia di aggettivi. *Sommesse:* sottomesse, umili, sottovoce, in tono appena udibile; *frigide:* fredde, è termine oggi colto in questo significato.

Righe 41-42 *di prudenza e d'astuzia ... né prudenza, né astuzia*: di nuovo una ripetizione di coppie di sostantivi.

Riga 43 *inconseguenti e incoerenti*: coppia di aggettivi; *inconseguente:* privo di legami o nessi logici con quanto precede, sinonimo di *incoerente*. Da notare qui l'uso di una coppia di aggettivi pressoché dello stesso significato riferiti a persone anziché a cose.

Riga 49 *urlare come lupi*: espressione figurata per rendere la potenza e la violenza animalesca dell'urlo, urlare molto forte.

Riga 50 *rauco belato*: aspro, basso, quasi soffocato verso della pecora o dell'agnello. Da notare la posizione dell'aggettivo che precede il sostantivo.

Attività di comprensione

1. *Da imparare*: le grandi virtù, cioè la generosità, l'indifferenza al denaro, il coraggio e lo sprezzo del pericolo, la schiettezza e l'amore per la verità, l'amore verso il prossimo e l'abnegazione, il desiderio di essere e di sapere.
   Da non imparare: le piccole virtù, cioè il risparmio, la prudenza, l'astuzia, la diplomazia, il desiderio del successo.

2. *Piccole virtù*: il risparmio, la prudenza, l'astuzia, la diplomazia, il desiderio di successo.
   Grandi virtù: la generosità, l'indifferenza per il denaro, il coraggio, lo sprezzo del pericolo, la schiettezza, l'amore per la verità, l'amore verso il prossimo, l'abnegazione, il desiderio di essere e di sapere.

3. È un certo rapporto che i genitori stabiliscono con i propri figli, un clima in cui fioriscono i sentimenti e gli istinti, i pensieri. Un clima tutto ispirato alle piccole virtù, matura insensibilmente al cinismo, o alla paura di vivere.

4. *Genitori di ieri*: usavano forti e sonore parole che a poco a poco perdevano la loro sostanza; non conoscevano la prudenza e l'astuzia, la paura del ridicolo, erano inconseguenti e incoerenti, si contraddicevano di continuo e non ammettevano mai di essersi contraddetti, credevano i loro principi indistruttibili, regnavano con potere assoluto sui figli. Ci assordavano di parole tuonanti, non era possibile dialogare, battevano il pugno sulla tavola.
   Genitori di oggi: si possono infuriare, urlare come lupi, ma non sono veramente convinti di questi atteggiamenti che usano nei confronti dei figli.

Riflessioni narratologiche

1. Argomentativo.
2. PRIMA SEQUENZA: *Per quanto riguarda ... di essere e di sapere.* (righe 1-5) Pensiero dell'autrice.
   SECONDA SEQUENZA: *Di solito invece ... essere insegnate.* (righe 6-14) Cosa fanno in realtà i genitori per educare i figli.
   TERZA SEQUENZA: *In realtà ... voce della ragione.* (righe 15-20) Differenza tra piccole e grandi virtù.
   QUARTA SEQUENZA: *L'educazione ... il grande.* (righe 21-35) Che cos'è l'educazione.
   QUINTA SEQUENZA: *Non giova ... rauco belato d'agnello.* (righe 36-51) Cosa fanno i genitori di oggi.
3. Come genitori cerchiamo di educare i nostri figli in modo diverso da come siamo stati educati noi.

Riflessioni linguistiche

1. Si tratta di una metafora: urlare forte, quasi con violenza. Altre espressioni: avere una fame da lupi, mangiare come un lupo, essere un lupo di mare, in bocca al lupo!, crepi il lupo!, finire nella bocca del lupo, andare nella tana del lupo, il lupo perde il pelo ma non il vizio.
2. Forti, chiare, squillanti, altisonanti; lievi, deboli, umili; forti, rumorose, incisive, roboanti.

3. Discutere portando argomenti a sostegno, esporre qualcosa con logica; ragionare su un argomento con impegno, serietà e attenzione; esprimere un giudizio vincolante su questioni di propria competenza.

Attività di produzione orale e/o scritta

1, 2, 4, 5, 6, 7. Risposte libere.
3. Vedi attività di comprensione del testo punti 1 e 4.

ITALO CALVINO

TUTTO IN UN PUNTO
da *Le Cosmicomiche*

NOTE

Righe 1-5 *Attraverso ... d'anni fa*: La premessa scientifica da cui parte il racconto è scritta in corsivo e in italiano standard. La lingua del racconto è caratterizzata invece dalla convivenza di colloquialità e tecnicismi. Il differente uso della lingua è sottolineato anche da scelte di tipo grafico.

Riga 6 *Si capisce ... si stava*: le due forme verbali sono solo apparentemente uguali: la prima che apre il discorso di Qfwfq, si capisce è impersonale; la seconda *si stava* è un tratto tipico del parlato della varietà regionale toscana piuttosto diffuso nello scritto anche in testi di scrittori non toscani. Essa sostituisce la forma verbale di prima persona plurale *stavamo*. Lo stesso fenomeno lo troviamo alla riga 18 *ci si sente* e alla riga 38 *si stava*.

Riga 6 *fece*: disse, colloquiale.

Riga 6 *Qfwfq*: tutti i nomi propri dei personaggi all'interno del testo sono inventati e sovvertono la norma di sistema secondo la quale nella lingua italiana non ci può essere una parola con più di tre consonanti consecutive, perché illeggibile. Il nome del narratore Qfwfq, non solo è impronunciabile, perché non contiene vocali, ma anche palindromico, speculare. I nomi degli altri personaggi sono costellati da lettere elevate a potenza, secondo la tipica grafia del linguaggio matematico.

Righe 6-7 *Che ... sapeva*: nella frase si mettono in rilievo, anticipandoli, alcuni elementi diversi dal soggetto *che ci potesse essere lo spazio*, per poi riprenderli con il pronome *lo*. La frase non marcata sarebbe: *Nessuno ancora sapeva che ci potesse essere lo spazio* (**dislocazione a sinistra**).

Riga 7 *idem*: termine latino tipico di uno scritto informale che equivale a "come sopra", "la stessa cosa", ecc. In questo caso l'autore lo usa per non ripetere la struttura della frase precedente. *E il tempo idem* sta per: *che ci potesse essere il tempo, nessuno lo sapeva. Idem* equivale quindi al significato dell'intera frase (**olofrastico**).

Riga 8 *pigiati come acciughe*: "Pigiati come le acciughe in scatola", frase idiomatica che significa "stare vicinissimi e quindi scomodi".

Riga 9 *Eh*: esclamazione che sottolinea l'incertezza del narratore.

Riga 10 *pochino*: diminutivo tipico del parlato.

Riga 18 *ci si sente*: tratto tipico del parlato della varietà regionale toscana piuttosto diffuso nello scritto anche in testi di scrittori non toscani. Essa sostituisce la forma verbale di prima persona plurale *ci sentiamo*.

Riga 21 *il suo seno ... arancione*: serie di tre elementi descrittivi (**elencazione asindetica**).

Riga 24 *Che fa di bello? Come mai da queste parti?*: frasi tipiche del parlato. Come mai da queste parti è una **frase nominale** tipica della conversazione informale.

Riga 25 *fece*: disse.

Righe 29-30 *Che ... noto*: l'ordine standard delle parole sarebbe: *Era noto che andasse a letto col suo amico, il signor De XuaeauX* (**anastrofe**).

Righe 29-32 *Che andasse ... di noi*: ripetizione delle parole *letto* e *punto* che sembrano inseguirsi. Procedimento iterativo nel quale vengono ripetute alcune parole. Tale struttura serve a sottolineare un concetto e a incalzare l'andamento della narrazione.

Riga 31 *chiunque è*: modo indicativo al posto del modo congiuntivo *sia*. Forma tipica del parlato che tende sempre più verso una maggiore semplificazione. In realtà dopo il pronome indefinito "chiunque" si usa il modo congiuntivo.

Righe 33-37 *Con lei invece ... puntiforme di lei*: ripetizione del pronome complemento *lei* e del termine *puntiforme* in una girandola verbale.

Riga 37 *Insomma*: avverbio, dà coesione al discorso concludendolo (**segnale discorsivo**).

Riga 38 *Si stava ... bene*: *si stava* è un tratto tipico del parlato della varietà regionale toscana piuttosto diffuso nello scritto anche in testi di scrittori non toscani. Essa sostituisce la forma verbale di prima persona plurale *stavamo*. La ripresa, ripetizione del componente *così bene* alla fine dell'enunciato serve ad enfatizzare il concetto *si stava così bene tutti insieme* (**frase eco**).

Riga 39 *ragazzi*: funzione fatica del termine che serve a richiamare l'attenzione.

Riga 42 *ve'*: vedi/vedete, interiezione, è in origine, la forma apocopata, tronca, dell'imperativo di *vedere*. Di uso letterario o regionale, serve per richiamare qualcuno e in particolar modo per ammonirlo.

Righe 43-44 *anni-luce ... millenni-luce*: linguaggio specialistico relativo all'astronomia che serve a definire distanze tra corpi celesti.

Riga 45 *d'energia luce calore*: linguaggio specialistico relativo alla fisica, i cui fondamenti trattano della trasformazione della materia.

Righe 47-52 *un vero ... rimpiangerla*: crescente gradazione all'interno della quale si ripete il termine *spazio* (**iterazione**). Si ha inoltre la ripresa di lessemi variati nella forma *gravitazione universale e universo gravitazione* (**annominazione**). Il tutto espresso in un crescendo enfatizzato dalla ripetizione della congiunzione *e* (**polisindeto**), che scandisce e aumenta il ritmo della narrazione (**climax ascendente**).

CHIAVI

Attività di comprensione

1. a) F (vedi la parte in corsivo che precede il racconto).
   b) F: i nomi sono impronunciabili e palindromi.
   c) V: il racconto è permeato da emozioni e sentimenti umani.
2. Risposta libera.

Riflessioni narratologiche

1. Nel testo, tranne la parte iniziale in corsivo in cui vengono date informazioni tecnico-scientifiche sull'origine dell'universo, il narratore è interno, è l'io narrante e lo si evince da parti del testo quali "... *si capisce che si stava tutti lì ... quanti eravamo? ... Per tutti noi ... si stava così bene ...*".
2. Le opinioni del narratore permeano il testo, dalla descrizione della convivenza nel "punto", alle considerazioni sulla signora Ph(i)Nk*.
3. La generosità della signora Ph(i)Nk* si materializza nel desiderio di preparare le tagliatelle per tutti: questo apre nuovi spazi e orizzonti e dà origine all'universo (righe 38-53).
4. Risposta libera.

Riflessioni linguistiche

1. Il presente indicativo: viene usato per descrivere la perduta e rimpianta signora Ph(i)Nk* e serve a rendere attuale la narrazione e partecipe il lettore.
   L'imperfetto indicativo: viene usato per descrivere situazioni nel passato.
2. Risposte libere.
3. Forniamo alcuni esempi: *galassie, anni-luce, gravitazione universale*.
4. L'ordine standard non dà nessuna connotazione alla frase *Era noto che andasse con il signor De XuaeauX*. L'anastrofe invece la caratterizza dandogli un tono enfatico.
5. *Ci sentiamo, stavamo.*
6. *Imburrare, infornare, imbottigliare, annacquare, impanare, infarinare.*
7. AGGETTIVO + NOME: linguaggio emotivo, partecipativo.
   NOME + AGGETTIVO: linguaggio denotativo.
8. *Espanso, resosi conto, rimpianto, celato, dissolto.*
9. Il racconto è per lo più un monologo del protagonista che ripensa ai tempi passati. Forniamo quindi solo una parte della rielaborazione del testo.
   Il vecchio Qfwfq afferma che tutti stavano lì ... cosa potevano farsene del tempo ... Poi si interroga sul numero, su quanti potessero essere, non era mai riuscito a rendersene conto ... Per contarsi ci si deve staccare almeno un pochino uno dall'altro, invece occupavano ... Al contrario di quel che poteva sembrare, non era ... Qfwfq sapeva ... ci si frequentava ... per il fatto che vicini erano tutti non si dicevano ... quella che avevano allora ... Finché non veniva nominata la signora Ph(i)Nk – tutti i discorsi andavano sempre a finir lì –, ... venivano lasciate da parte, e si sentivano sollevati ... La signora Ph(i)Nk*, la sola che nessuno di loro aveva dimenticato e che tutti rimpiangevano. Qfwfq si chiese dove fosse finita. Da tempo aveva smesso di cercarla ... e pensò che non l'avrebbero incontrata più ... Il mese scorso Qfwfq entrò ... e chi vide? Il signor Pber* Pber* e gli chiese cosa facesse di bello, come mai fosse da quelle parti ... e se credesse che avrebbero ritrovato la signora Ph(i)Nk*. Il signor Pber* Pber* rispose a malapena arrossendo e balbettando ...*
   Saltiamo parte del testo e arriviamo al punto in cui parla la signora Ph(i)Nk*.
   ... Bastò che a un certo momento lei dicesse con enfasi, che, se avesse avuto un po' di spazio, le sarebbe piaciuto fargli le tagliatelle ...

Attività di produzione orale e/o scritta

Risposte libere.

UNA GOCCIA
da *Sessanta Racconti*

NOTE

Riga 1 *Disteso in letto*: l'uso della preposizione *in* è una scelta stilistica dell'autore, normalmente troviamo disteso *nel letto* o *a letto*.

Riga 2 *Tic, tic*: **forma onomatopeica** per indicare il suono della goccia.

Riga 8 *adulti, raffinati, sensibilissimi*: uso di aggettivi in successione dal significato progressivamente più intenso (**climax ascendente**).

Riga 9 *squallida piccola ignorante*: uso di aggettivi in successione dal significato progressivamente meno intenso (**climax discendente**).

Riga 15 *Torna in letto*: di nuovo una scelta stilistica dell'autore per l'uso della preposizione *in* (vedi riga 1).

Riga 15 *marsch!*: ancora una **forma onomatopeica**.

Riga 15 *ecco il fatto*: **segnale discorsivo pragmatico** usato per richiamare l'attenzione sulla situazione.

Righe 15-16 *È un pezzo che al mattino manca il vino*: costruzione sintattica formata dal verbo *essere* seguito da proposizione relativa per focalizzare un elemento della frase (**frase scissa**): in questo caso il fatto che da molto tempo manchi il vino (l'ordine standard sarebbe: *al mattino manca il vino da un pezzo*).

Riga 16 *se credi ...*: frase non terminata che lascia intendere qualcosa di conosciuto.

Riga 18 *saltato in mente*: l'uso del verbo *saltare* per indicare *venire*, *ricordare*, sottolinea il significato figurato dell'espressione (**metafora**).

Righe 23-25 *... pendule dalla ringhiera? ... rampe tenebrose?*: serie di domande retoriche.

Riga 29 *E chi pensa a una cosa, chi a un'altra*: parallelismo con ellissi del verbo, nella seconda parte della frase il verbo *pensare* non è ripetuto.

Riga 31 *su, su*: intensificazione del ritmo discorsivo della frase.

Riga 41 *tromba delle scale*: **metafora** per indicare lo spazio vuoto al centro della rampa.

Riga 42 *meglio sentirlo, il rumore*: costruzione sintattica della frase con lo spostamento a destra di un elemento, in questo caso *il rumore*, che viene focalizzato rispetto ad altri (**dislocazione a destra**).

Righe 45-46 *Peggio ancora però se tutto tranquillo*: esempio di frase priva del verbo (**frase nominale**).

Riga 49 *No, davvero*: **segnale discorsivo**.

Riga 50 *così dire*: **segnale discorsivo**.

Riga 51 *Niente affatto*: rafforzamento della negazione.

Righe 47-55 *... cominci il rumore? ... per caso un'allegoria? ... la morte? ... qualche pericolo? ... che passano? ... e le chimere? ... la felicità? ... insomma? ... mai giungeremo?*: serie di domande retoriche.

Riga 56 *vi dico*: **segnale discorsivo**.

Riga 56 *ahimè*: **interiezione**.

Attività di comprensione

1. Una servetta.
2. Stanno all'erta, ascoltano, si domandano cosa sia, hanno paura ...
3. Ascoltano, pensano a varie cose, sperano che si allontani ...
4. Meglio sentirlo.
5. Dal mistero, dal non sapere.

Riflessioni narratologiche

1. Interno ed esterno.
2. *Una goccia ... sterminato casamento* (righe 1-7): sequenza descrittiva; *Non siamo ... E chi pensa a una cosa, chi a un'altra* (righe 8-29): sequenza narrativa; *Certe notti ... al piano di sopra* (righe 30-33): sequenza descrittiva.
3. Lo scrittore.
4. Il rumore della goccia.

Riflessioni linguistiche

1. Poi la goccia si ferma e magari per tutta la rimanente notte non si fa più viva, *ma nonostante ciò* sale. Non siamo stati noi, adulti, raffinati, sensibilissimi a segnalarla, *ma* una servetta del primo piano ...
2. Dopo un po' non seppe frenarsi, scese dal letto e corse a svegliare la padrona e la chiamò, la signora rispose riscuotendosi chiedendo che cosa ci fosse e che cosa stesse succedendo. La servetta rispose che c'era una goccia che veniva su per le scale. La padrona chiese sbalordita che cosa stesse dicendo. La servetta ripetè, quasi mettendosi a piangere, che c'era una goccia che saliva i gradini. La padrona imprecò alla servetta di andarsene ed esclamò che era matta. Le ordinò di tornarsene a letto perché aveva bevuto, infatti da un pezzo mancava il vino nella bottiglia   Nel frattempo la ra gazzetta era fuggita, già rincattucciata sotto le coperte.
3. Dentino, calduccio, fuocherello, bruttino, alberello, lettuccio, stupidino, antipatichino, librettino, canzoncina. Mio figlio ha messo il suo primo *dentino*. Oggi è freddo, non esco, preferisco starmene al *calduccio*. Quella povera donna si riscaldava ad un *fuocherello*. Quel ragazzo è proprio *bruttino*. In giardino ci sono pochi *alberelli*. Il povero mendicante se ne stava a dormire in un *lettuccio* in fondo alla stanza. Quel film è davvero *stupidino*. Luigi è diventato un po' *antipatichino*. Ho regalato a Maria un *librettino* su Siena. Mio figlio ripete sempre la stessa *canzoncina*.
4. Metafora: *Achille è un leone*; metonimia: *bere un bicchiere, essere fedele alla bandiera, portare Leopardi all'esame*; chiasmo: *Pace non trovo et non ho da far guerra* (Petrarca); sinestesia: *pigolio di stelle* (Pascoli); sineddoche: *dormiamo tutti sotto lo stesso tetto*.
5. Arcano cammino, curioso rumore, rampe tenebrose, indecifrabili paure, simboleggiare la morte.

Attività di produzione orale e/o scritta

1. 2. 4. Risposte libere.
3. Il buio, il silenzio, il non sapere, il non vedere.

ITALO CALVINO

GIOCHI SENZA FINE
da *Le cosmicomiche*

NOTE

Riga 2 *Ex novo*: locuzione avverbiale latina che significa "di nuovo, dal principio, da capo".

Riga 7 *Qfwfq*: i nomi propri dei due personaggi, Qfwfq e Pfwfp, sono inventati e sovvertono la norma di sistema secondo la quale nella lingua italiana non ci può essere una parola con più di tre consonanti consecutive, perché illeggibile. I nomi sono palindromici e impronunciabili perché non contengono vocali.

Righe 7-8 *Gli atomi d'idrogeno li conoscevo uno per uno*: nella frase si mettono in rilievo, anticipandoli, alcuni elementi diversi dal soggetto *gli atomi di idrogeno*, per poi riprenderli con il pronome *li*. La frase non marcata sarebbe: *Tutti conoscevano gli atomi d'idrogeno* (**dislocazione a sinistra**).

Righe 12-13 *Lo spazio essendo curvo ... come delle biglie*: susseguirsi di due costruzioni, di cui la prima non si lega sintatticamente alla seconda (**anacoluto**).

Riga 15 *se no*: si trova anche *sennò* che significa "altrimenti", "in caso contrario". Ha anche valore di congiunzione.

Riga 17 *dài e dài*: **interiezione** che significa "a furia di insistere" e dà l'idea della ripetizione che alla fine porta alla noia.

Riga 20 *Ma dài*: **interiezione** che esprime esortazione, incitamento, incoraggiamento.

Riga 22 *E be'*: **interiezione** , forma tronca di *bene*.

Riga 23 *Uffa*: **interiezione** che esprime noia, fastidio, impazienza. *Fai tante storie*: forma idiomatica che significa "sollevare obiezioni e difficoltà", "fare resistenza", "tergiversare".

Riga 24 *chissà come*: locuzione avverbiale che indica un modo impreciso, non ben definito.

Riga 27 *in punta di piedi*: forma idiomatica che significa "poggiare a terra solo la punta dei piedi per non fare rumore". In senso figurato "con discrezione".

Riga 28 *girellare ... fischiettando*: l'alterazione produce verbi frequentativi, diminutivi e accrescitivi; il suffisso serve a indicare un aspetto del verbo di base: ripetizione, intermittenza, assenza di continuità, saltuarietà, attenuazione.

Righe 30-31 *E quale fosse questo suo programma ... non tardai a scoprirlo*: nella frase si mettono in rilievo, anticipandoli, alcuni elementi diversi dal soggetto *quale fosse questo suo programma*, per poi riprenderli con il pronome *lo*. La frase non marcata sarebbe: *Non tardai a scoprire quale fosse il suo programma* (**dislocazione a sinistra**).

Riga 34 *Per cosa farne?*: ordine alterato dei costituenti. L'ordine standard sarebbe: *Per farne cosa?* (**anastrofe**).

Riga 36 *rendergli pan per focaccia ...*: forma idiomatica che significa "vendicarsi di un danno, di un torto ricevuto facendolo subire a propria volta al responsabile".

Riga 40 *nuovo di zecca ...*: forma idiomatica. "Di qualcosa appena acquistato o non ancora usato", ma anche "di notizia, idea mai sentita prima".

Righe 42-43 *covando nel suo seno*: "nascondere", significato traslato (**metafora**). *Covare sotto la cenere* significa "un sentimento vivo nell'animo di chi lo prova, pur non essendo manifestato apertamente".

Riga 45 *cilecca*: forma toscana che significa "beffa, scherno". *Fare cilecca* è una forma idiomatica che significa "non funzionare perfettamente, perdere in efficienza, fallire". Significa inoltre "occasionale impotenza sessuale".

Riga 47 *Alé*: **interiezione** che indica incoraggiamento, incitamento, esortazione.

Riga 48 *Io ci sto!*: Starci, "essere o poter essere contenuto, entrare, trovare posto" (esempio: *nella valigia ci sta tutto*). Significa inoltre "essere d'accordo, partecipare, aderire, mostrarsi disponibile a rapporti sessuali".

Riga 48 *Ma tu ... tu una galassia non l'hai mica!*: nella frase si mettono in rilievo, anticipandoli, alcuni elementi diversi dal soggetto *una galassia*, per poi riprenderli con il pronome *la*. La frase non marcata sarebbe: *Tu non hai mica una galassia* (**dislocazione a sinistra**). *Mica* rafforza la negazione.

Riga 51 *Dài*: **interiezione** che esprime esortazione, incitamento, incoraggiamento.

Riga 52 *E tutti ... li lanciai nello spazio*: nella frase si mettono in rilievo, anticipandoli, alcuni elementi diversi dal soggetto *E tutti gli atomi nuovi che tenevo nascosti*, per poi riprenderli con il pronome *li*. La frase non marcata sarebbe: *Lanciai nello spazio tutti gli atomi nuovi che tenevo nascosti* (**dislocazione a sinistra**).

Riga 53 *s'addensarono come in una nuvola leggera*: figura retorica che paragona l'addensarsi degli atomi ad una nuvola (**similitudine**).

Riga 58 *Invece, niente*: espressione sintetica di un pensiero (**brachilogia**).

Riga 60 *verde di rabbia*: forma idiomatica "essere arrabbiatissimo".

Riga 61 *cane d'un Qfwfq*: traslato (**metafora**).

Riga 63 *alle mie calcagna*: forma idiomatica che significa "essere immediatamente dietro, vicino, all'inseguimento di qualcuno".

Riga 67 *E così dietro ... Ofwfq*: disposizione incrociata degli elementi con lo scopo di sottolineare lo stretto rapporto tra di loro (**chiasmo**) e soppressione del verbo *c'era* in *dietro ogni Pfwfp un Qfwfq* (**brachilogia**).

Righe 69-70 *l'uno non avrebbe ... l'uno*: disposizione incrociata degli elementi con lo scopo di sottolineare lo stretto rapporto tra di loro (**chiasmo**) e soppressione del verbo *avrebbe raggiunto* in *né mai l'altro l'uno* (**brachilogia**).

Riga 70 *Di giocare a rincorrerci avevamo perso ogni gusto*: ordine alterato dei costituenti. L'ordine standard sarebbe: *Avevamo perso ogni gusto di rincorrerci* (**anastrofe**).

CHIAVI

Attività di comprensione

1. 1. f), 2. g), 3. a), 4. e), 5. b), 6. d), 7. c)

Riflessioni narratologiche

1. Il racconto è scritto in 1ª persona, il narratore è interno e coincide con il protagonista.
2. Si comprende che Pfwfp è l'antagonista di Qfwfq quando il protagonista scopre l'inganno del compagno e da lì inizia il loro gioco senza fine.

Riflessioni linguistiche

1. Conoscevo tutti gli atomi di idrogeno.
   Non tardai a scoprire quale fosse questo suo programma.
   Per farne cosa?
   Lanciai nello spazio gli atomi nuovi che tenevo nascosti nello spazio.
   Avevamo perso ogni gusto di giocare a rincorrerci.
2. **a)** giocherellare, trotterellare, salterellare, bucherellare;
   b) pieghettare, parlottare, scoppiettare;
   c) canticchiare, rubacchiare, lavoricchiare, mangiucchiare.
   Il suffisso alterativo serve a indicare un aspetto del verbo di base: ripetizione, intermittenza, assenza di continuità, saltuarietà, attenuazione.
3. Per eseguire questa attività possono risultare utili le note relative al racconto. *Fare storie* (riga 23), *in punta di piedi* (riga 27), *nuovo fiammante* (glossario), *nuovo di zecca* (riga 40), *rendere pan per focaccia* (riga 36), *covare in seno* (riga 42-43), *fare cilecca* (riga 45), *verde di rabbia* (riga 60), *essere alle calcagna* (riga 63).
4. *Curvo*: dritto, eretto; *fiacco*: energico, attivo, dinamico, vivace; *predace*: appagato, disinteressato; *ingordo*: moderato, parco; *inconfondibile*: banale, comune.
5. *Qfwfq sollecitò Pfwfp ricordandogli che toccava a lui e gli chiese cosa facesse e se non giocasse più. Pfwfp rispose che giocava, che Pfwfp non doveva scocciarlo e che avrebbe tirato subito. Qfwfq replicò che se Pfwfp se ne fosse andato per conto suo, avrebbero sospeso la partita. Pfwfp annoiato disse che Qfwfq faceva tante storie perché perdeva.*

Attività di produzione orale e/o scritta

1. 2. 3. 4. 5. 6. Risposte libere.

DINO BUZZATI

UNA LETTERA D'AMORE
da *Sessanta racconti*

NOTE

Riga 3 *Di là di*: andando oltre, superando.
Righe 6-7 *mia Diletta ... Amore*: progressione di parole che hanno significati sempre più intensi (**climax ascendente**).
Riga 10 *Poi io adesso*: espressione del parlato. *Poi*, **connettivo pragmatico**.
Riga 12 *Credo ... prova*: ripetizione del verbo, *credo ... credo*, tipica del parlato che indica indugio, incertezza confermata anche dall'uso del verbo *dovere* nella frase successiva *deve essere venuto*.
Riga 18 *di là dei mari*: andando oltre, superando.
Righe 27-28 *mucchio da fare ... se ti do noia, ... come non detto ... Dio, come la prendi*: espressioni tipiche del parlato.
Riga 35 *Ma ... Ma cosa?*: **connettivi pragmatici**.

Riga 35 *da basso*: espressione non più usata sostituita da "al piano di sotto".

Riga 35 *C'è ... che*: fenomeno tipico del parlato in cui il soggetto di cui si parla viene introdotto con il *c'è* seguito dal relativo *che* (**c'è presentativo**).

Righe 42-45 *Qui ... Qui ... Qui ... Qui ... Qui*: Ripetizione di *qui* all'inizio di ogni frase (**anafora**) e ripetizione della stessa struttura all'interno di ogni frase (**parallelismo**).

Riga 50 *scartafacci ... protocolli*: serie di complementi (**elencazione asindetica**).

CHIAVI

Attività di comprensione

1. a) F, b) V, c) V, d) F, e) V

Riflessioni narratologiche

1. Il narratore è esterno.
2. Forniamo una possibile suddivisione del testo in sequenze e per ognuna un titolo:
   PRIMA SEQUENZA: *Enrico Rocco ... Amore ...* (riga 1-7)
   Titolo: Enrico Rocco tenta di scrivere all'amata.
   SECONDA SEQUENZA: *Entrò il fattorino ... prova ...* (riga 8-12)
   Titolo: Prima interruzione.
   TERZA SEQUENZA: *Entrò il sarto ... gessetto.* (riga 13-14)
   Titolo: La prova del vestito.
   QUARTA SEQUENZA: *Avidamente ... mari.* (riga 15-18)
   Titolo: Torna a scrivere.
   QUINTA SEQUENZA: *In quel mentre ... espresso.* (riga 19-32)
   Titolo: Seconda interruzione.
   SESTA SEQUENZA: *Il fattorino ... flutti.* (riga 33-46)
   Titolo: Sequenza infinita di interruzioni.
   SETTIMA SEQUENZA: *Quanto durò ... Ornella?* (riga 47-56)
   Titolo: Il tempo cancella tutto.

Riflessioni linguistiche

1. Forniamo solo l'inizio di tale esercizio:
   Mi chiamo Enrico Rocco, ho 31 anni, sono gerente ..., innamorato, mi chiudo nel mio ufficio ... che io trovai la forza. Le avrei scritto ...
2. *Dare uno strappo*: dare un passaggio in macchina o in moto.
   Fare uno strappo: fare un'eccezione alla regola.
   Esserci uno strappo: tra persone, rottura nei rapporti.
3. Corte costituzionale, d'assise, d'appello, di cassazione, dei conti, marziale, pontificia.
4. Cavalletto, cavallona (scherzoso ma anche dispregiativo riferito a una donna robusta, alta e sgraziata), accavallare, cavalleresco.
5. Bocconi, ginocchioni, tastoni, ciondoloni, ruzzoloni, tentoni.
6. Studio 2), riconobbe 1) ridicole 2), fastidio 3), smarrimento 3) oramai 1)

Attività di produzione orale e/o scritta

   1. 2. 3. 4. 5. 6. Risposte libere.

FENOMENI LINGUISTICI PRESENTI
NEI TESTI ED EVIDENZIATI NELLE NOTE

Allitterazione: ripetizione spontanea o ricercata di lettere o sillabe, o semplicemente di suoni uguali o affini, in una serie di due o più vocaboli: *bello e buono*; *Tre*man le spaziose a*tre* caverne (Tasso).

Anacoluto: susseguirsi, in uno stesso enunciato, di due diverse costruzioni, di cui la prima non si lega sintatticamente alla seconda. L'anacoluto rappresenta quindi una frattura dell'ordine sintattico della frase. Come procedimento stilistico, l'anacoluto è usato per riprodurre l'immediatezza del linguaggio parlato, o per dare maggiore forza espressiva al discorso.

Anadiplosi: ripresa, all'inizio di un enunciato, di una o più parole che si trovano alla fine dell'enunciato precedente.

Anafora: ripetizione di una o più parole all'inizio di enunciati successivi. Nella linguistica testuale, l'anafora è il procedimento di rinvio, all'interno di un testo, a un elemento già comparso in precedenza; tale relazione può essere realizzata da un pronome, un dimostrativo, ecc.

Anastrofe/Iperbato: figura retorica che consiste nell'inversione dell'ordine normale di due parole o sintagmi; è tipica dello stile classicheggiante.

Annominazione: figura di tipo grammaticale e semantico che consiste nella ripresa di un lessema variato nella forma.

Antitesi: contrapposizione di due parole o espressioni di significato opposto.

Antonomasia: figura retorica consistente nell'adoperare un nome comune in un'accezione specifica, universalmente nota, oppure un nome proprio particolarmente famoso per indicare una persona o una cosa che ne ripeta le caratteristiche.

Apocope: caduta di uno o più fonemi alla fine di una parola.

Asindeto: figura di tipo sintattico che consiste nell'eliminare legami formali tra due termini o fra due proposizioni.

Brachilogia: Espressione sintetica di un pensiero, in genere realizzata sopprimendo un elemento del discorso che risulta comune a due o più proposizioni: *non era Teresa, ma Marcella* (non viene ripetuto, dopo la congiunzione *ma*, il verbo *era*).

Catafora: ripresa di un elemento del discorso realizzata spesso mediante un pronome; mentre l'anafora è un rinvio all'indietro, la catafora è un rinvio in avanti (io non *la* conosco *Maria*, in questo caso *la* è una catafora).

Chiasmo: Disposizione inversa, incrociata di elementi concettualmente e sintatticamente paralleli. A+B / B+A. *Ovidio è il terzo e l'ultimo Lucano* (Dante) = sogg. + predicato / predicato + sogg.

Climax/Gradazione: successione di parole che hanno significati progressivamente più intensi (climax ascendente) o progressivamente meno intensi (climax discendente).

Concordanza a senso: fenomeno linguistico per cui si ha un accordo fra un plurale e un nominale singolare o indefinito.

Connettivi/segnali discorsivi: elementi che realizzano la coesione di un testo scritto (testuali) e parlato (pragmatici): dalle congiunzioni ad avverbi (*allora, appunto, insomma*) a una serie di espressioni tipiche, soprattutto del parlato (*figurati, guarda, ti dirò*, ecc.).

Deissi, Deittici: si chiamano deittici gli elementi della lingua che mettono in rapporto l'enunciato con la situazione in cui esso viene prodotto; in particolare, i deittici servono a situare l'enunciato nello spazio e nel tempo, e anche a precisare quali siano i soggetti che partecipano alla comunicazione: sono deittici, per esempio, i pronomi dimostrativi *questo, quello*, gli avverbi di luogo e di tempo *qui, lì, ieri, oggi*, i pronomi personali *io, tu*. La deissi equivale a un gesto di indicazione: alla domanda *quale vuoi?* Possiamo rispondere con un deittico *questo* o con un semplice gesto (indice puntato, cenno del capo).

Demarcativo: segnale discorsivo che evidenzia il punto di passaggio da un blocco testuale ad un altro.

Dislocazione: indica lo spostamento di un componente della frase a sinistra o a destra rispetto al suo posto normale (non marcato). Si confronti per esempio: *mangio le mele* (ordine normale, non marcato) con *le mangio, le mele* (dislocazione a destra).

Si confronti anche: *ho comprato il vestito al mercato* (ordine normale, non marcato) con *il vestito l'ho comprato al mercato* (dislocazione a sinistra). Entrambe le dislocazione hanno il fine di evidenziare (focalizzare) un elemento della frase.

Ellissi: omissione nella frase di un elemento sintattico che si è obbligati a sottintendere: *a buon intenditor* (*bastano*) *poche parole*.

Focalizzazione: procedimento con il quale si sottolinea la preminenza di un costituente sugli altri (vedi Dislocazione).

Frase eco: consiste nella ripetizione di una parte dell'enunciato alla fine dello stesso per evidenziare quell'elemento che si ritiene più importante.

Frase/Stile nominale: periodo caratterizzato dalla presenza di sintagmi nominali, in cui è assente il sintagma verbale in funzione predicativa.

Frase scissa: forma di focalizzazione in cui, per mettere in evidenza qualcosa o qualcuno, si spezza una frase e se ne ottengono due: *è Marco che ha parlato*.

Iterazione; ripetizione.

Interiezione: dal latino *interiectio, -onis* "Intersezione", "intercalazione", Espressioni che, senza avere alcun legame con il resto della frase, si inseriscono nel discorso. Parola invariabile, che serve ad esprimere una reazione improvvisa dell'animo: gioia, sdegno, sorpresa, paura, minaccia, disappunto, rabbia, impazienza, incoraggiamento, disprezzo e così via: *ah! eh!, mah!, urrà!, ahimè, basta!, viva!, dai!, zitto!* ecc.

Interrogativa retorica: si ha quando si formula una domanda che contiene una risposta implicita. La domanda non viene formulata per acquisire nuove informazioni, ma per dare ad un'affermazione maggiore rilievo, maggiore enfasi e cercare al contempo l'assenso degli interlocutori.

Inversione: disposizione alterata dei costituenti di una frase.

Iperbole: accentuazione oltre il verosimile di un dato reale (o presentato come tale), per eccesso o per difetto: *è un secolo che ti aspetto, esco a fare due passi, muoio di fame*.

Ironia: parlare in modo che si intenda il contrario di quello che si dice: *hai lavorato molto oggi* a chi non ha fatto niente.

Lessema: unità del lessico, in generale coincide con il lemma, la parola come si legge nel dizionario.

Metafora: sostituzione di un termine proprio con uno figurato, in seguito ad una trasposizione simbolica di immagini: *le spighe ondeggiano; il mare mugola; il leone, re della foresta.*

Metonima: figura retorica che consiste nell'usare il nome della causa per quello dell'effetto (*vivere del proprio lavoro*), del simbolo per la cosa designata (*non tradire la bandiera*).

Olofrastico: si dice di un segno che equivale al significato di un'intera frase. Per esempio *si*, *no* sono segni olofrastici.

Onomatopea: fenomeno che si produce quando i suoni di una parola descrivono o suggeriscono acusticamente l'oggetto o l'azione che significano.

Ordine marcato/ordine non marcato: l'ordine non marcato è l'ordine standard in cui si succedono i complementi di una lingua (per esempio, in italiano, abbiamo Soggetto-Verbo-Oggetto). L'ordine marcato si ha quando un costituente non occupa la sua posizione standard.

Parallelismo: successione di una stessa sequenza di costituenti.

Paratassi: coordinazione di proposizioni che compongono un periodo. Nell'ipotassi invece si ha un rapporto di subordinazione, espresso da congiunzioni subordinanti e da un particolare uso dei modi e dei tempi verbali.

Poliptoto: ripetizione della stessa parola in diverse forme e funzioni (esempio: *ero, sono, sarò*).

Polisindeto (paratassi polisindetica): figura di tipo sintattico caratterizzata dalla presenza di congiunzioni tra termini o frasi strettamente correlate.

Preterizione: figura retorica consistente nel rifiutarsi di affrontare un certo argomento mentre, in realtà, di fatto, se ne sta parlando, sia pure sommariamente.

Ridondanza pronominale/Pleonasmo: espressione ridondante, non necessaria.

Ripetizione: procedimento per intensificare o prolungare nel tempo una qualità o un'azione, per esempio: *se ne andava bel bello; procedeva piano piano.*

Similitudine: figura retorica che consiste nell'instaurare un paragone, un rapporto di somiglianza fra due cose o concetti.

Sineddoche: figura retorica per cui si usa figurativamente una parola di significato più ampio o meno ampio di quella propria, per esempio: una parte per il tutto (*prora per nave*), il contenente per il contenuto (*bere un bicchiere*), la materia per l'oggetto (*ferro per spada*).

Tema: ciò di cui si parla in un enunciato, ciò che è dato come noto, mentre si definisce rema (o comment) ciò che si dice a proposito del tema.

Troncamento: caduta della parte finale di una parola. Può essere vocalico o sillabico.

Varietà diafasica: variazione linguistica relativa alla situazione comunicativa, alla funzione del messaggio e al contesto socioculturale.

Verbo parasintetico: verbo, derivato da un sostantivo o un aggettivo, in cui si ha l'intervento simultaneo di un prefisso e di un suffisso (*incappucciare*).

Zeugma: si ha quando uno stesso termine è riferito a due o più termini, mentre potrebbe connettersi con uno solo di essi: *parlar e lacrimar vedrai insieme* (Dante).

note

note

edizioni EdiLingua

Progetto italiano 1 T. Marin - S. Magnelli
Corso multimediale di lingua e civiltà italiana. Livello elementare

CD-ROM Interattivo - Progetto italiano 1 T. Marin
Corso multimediale d'italiano.
Livello elementare

Progetto italiano 2 T. Marin - S. Magnelli
Corso di lingua e civiltà italiana. Livello intermedio - medio

Progetto italiano 3 T. Marin - S. Magnelli
Corso di lingua e civiltà italiana. Livello medio - avanzato

Allegro 1 L. Toffolo - N. Nuti
Corso multimediale d'italiano. Livello elementare

Allegro 1 A. Mandelli - N. Nuti
Esercizi supplementari e test di autocontrollo. Livello elementare

Allegro 2 L. Toffolo - M. G. Tommasini
Corso multimediale d'italiano. Livello preintermedio

Allegro 3 L. Toffolo - R. Merklinghaus
Corso multimediale d'italiano. Livello intermedio

La Prova orale 1 T. Marin
Manuale di conversazione. Livello elementare

La Prova orale 2 T. Marin
Manuale di conversazione. Livello medio - avanzato

Video italiano 1 A. Cepollaro
Videocorso italiano per stranieri. Livello elementare - preintermedio

Video italiano 2 A. Cepollaro
Videocorso italiano per stranieri. Livello medio

Video italiano 3 A. Cepollaro
Videocorso italiano per stranieri. Livello superiore

.it D. Forapani
Internet nella classe d'italiano - Attività per scrivere e parlare (CD-ROM)

Vocabolario Visuale T. Marin
Livello elementare - preintermedio

Vocabolario Visuale - Quaderno degli esercizi T. Marin
Attività sul lessico. Livello elementare - preintermedio

Diploma di lingua italiana A. Moni - M. A. Rapacciuolo
Preparazione alle prove d'esame

Scriviamo! A. Moni
Attività per lo sviluppo dell'abilità di scrittura.
Livello elementare - intermedio

Sapore d'Italia M. Zurula
Antologia di testi. Livello medio

Primo Ascolto T. Marin
Materiale per lo sviluppo della comprensione orale. Livello elementare

Ascolto Medio T. Marin
Materiale per lo sviluppo della comprensione orale. Livello medio

Ascolto Avanzato T. Marin
Materiale per lo sviluppo della comprensione orale. Livello superiore

l'Intermedio in tasca T. Marin
Antologia di testi. Livello preintermedio

Al circo! B. Beutelspacher
Italiano per bambini. Livello elementare

Una grammatica italiana per tutti 1 A. Latino - M. Muscolino
Livello elementare

Una grammatica italiana per tutti 2 A. Latino - M. Muscolino
Livello intermedio

Raccontare il Novecento P. Brogini - A. Filippone - A. Muzzi
Percorsi didattici nella letteratura italiana. Livello intermedio - avanzato

**Le tendenze innovative del Quadro Comune Europeo di Riferimento
per le Lingue e del Portfolio** (a cura di Elisabetta Jafrancesco, ILSA)

Insegnamento e apprendimento dell'italiano L2 in età adulta
(a cura di Lucia Maddii, IRRE Toscana)

L'acquisizione dell'italiano L2 da parte di immigrati adulti
(a cura di Elisabetta Jafrancesco, ILSA)

Italiano a stranieri (ILSA) - Rivista quadrimestrale per l'insegnamento
dell'italiano come lingua straniera/seconda